glee

Sophia Lowell

Traduit de l'anglais (États-Unis)
par Pia Boisbourdain

hachette

Photos de couverture :
GLEE TM & © Twentieth Century Fox Film Corporation.
Cover design by Liz Casal.

L'édition originale de cet ouvrage a paru en langue anglaise
chez Poppy, an imprint of Little, Brown and Company,
a division of Hachette Book Group, sous le titre :

Glee – The Beginning

Hachette Livre, 43 quai de Grenelle, 75015 Paris.

Lundi matin, bureau du proviseur

Rachel Berry s'arrêta devant la porte de M. Figgins pour remonter ses chaussettes et lisser sa jupe en velours. Elle portait un gilet d'un blanc éclatant à motifs roses et verts, histoire de bien rappeler au proviseur son statut d'élève modèle – au cas où il l'aurait oublié. Au lycée McKinley, personne n'était du genre à vouloir se distinguer. Excepté Rachel.

Elle décocha son plus beau sourire à la secrétaire rigide qui gardait le bureau de M. Figgins.

— Bonjour, madame Goodrich.

Une odeur de cookie flottait continuellement autour d'elle et, pour une raison inconnue, elle se renfrognait toujours à la vue de la jeune fille. C'était vraiment injuste. Elle aurait dû se réjouir, pour une fois, de ne pas voir pénétrer chez le proviseur un délinquant en herbe.

— M. Figgins est là ?

— Tu as rendez-vous, Rachel ? demanda Mme Goodrich en toisant l'adolescente par-dessus ses lunettes à double foyer.

— Non, mais il est toujours content de me recevoir.

La jeune fille passa sans s'attarder devant elle ; une soudaine envie de cookie lui vint. Les yeux sur ses mocassins, elle foula la moquette usée conduisant au bureau. Quelle tristesse pour un proviseur de ne même pas pouvoir se payer du parquet ! Mais l'heure n'était pas à la compassion. Que M. Figgins se trouve relégué dans ce lycée minable, à Lima, ce trou de l'Ohio, ne la regardait pas. Elle, ne comptait pas rester là toute sa vie.

Son année de première avait mal démarré. Elle avait cru pouvoir éblouir les autres élèves par ses talents exceptionnels. Au lieu de ça, à chaque fois qu'elle levait la main en cours d'histoire pour donner la réponse – toujours juste –, ses camarades la regardaient d'un air ahuri ; et lorsqu'elle se proposait pour jouer le premier rôle dans une pièce de Shakespeare, elle se faisait huer. À Lima, vouloir se mettre en avant devenait ridicule. Un comble !

Elle connut sa pire humiliation en perdant l'élection du délégué de classe. Son panneau de campagne était pourtant digne d'une candidate à la Maison Blanche : aux bandes rouges et blanches emblématiques de son pays s'ajoutaient des bleues, ainsi que des étoiles dorées – sa touche personnelle. Pourtant, des défaitistes avaient osé s'en prendre au slogan qu'elle avait trouvé avec ses parents (ses deux pères homosexuels, en réalité). Quelqu'un avait changé *Votez Berry, elle est géniale* en *Votez Berry, elle est naze*.

Personne ne s'étonna de la victoire du populaire Sebastian Carmichael. Sauf Rachel : elle exigea qu'on recompte les bulletins. Jessica Davenport, qui avait procédé au dépouillement, lui répondit qu'aucun candidat avant elle n'avait obtenu si peu de voix. C'était une première dans l'histoire du lycée. Elle ajouta qu'elle et ses camarades, croyant à une erreur, avaient déjà refait les comptes.

— Bonjour, Rachel ! lança le proviseur en levant brièvement les yeux vers elle.

La fenêtre donnait sur le parking du lycée, lieu de prestige où les élèves se cachaient derrière leur voiture pour tirer une dernière fois sur leur cigarette. Une bande de footballeurs encerclait des secondes. Ils s'apprêtaient probablement à les enfermer dans les toilettes du stade.

— Je suis très occupé, aujourd'hui, déclara le proviseur. Quelqu'un a déversé une quarantaine de litres de colorant dans la piscine. Résultat : l'équipe de natation est bleue de la tête aux pieds, conclut-il dans un long soupir.

Son léger accent indien ressortait lorsqu'il s'énervait. Élevée par des pères gays, Rachel était plutôt fière du nombre surprenant de minorités ethniques et culturelles que comptait Lima.

— Désolée de vous déranger, M. Figgins, mais c'est très important, insista-t-elle.

Elle s'assit avec grâce en face de lui et croisa les jambes. Le mauvais départ de cette année n'était déjà plus qu'un mauvais souvenir.

— Je t'écoute, Rachel. Que se passe-t-il ? demanda-t-il en frottant ses yeux cernés.

Même chez lui, la vie ne devait pas être rose tous les jours : il n'avait jamais l'air très heureux.

— Comme vous le savez, M. Figgins, le lycée McKinley est connu pour la pauvreté de ses activités artistiques, ce que je regrette fort. Les surdoués dans mon genre se sentent mis à l'écart.

En effet, ses pères l'avaient toujours laissé exercer un tas de loisirs comme les claquettes, la danse classique, le hip-hop, le chant, le piano et le théâtre. Elle avait également suivi des cours pour apprendre à parler en public et participé à des reconstitutions historiques en costume d'époque. Bref, tout ce qui la plaçait sous les feux de la rampe l'attirait. Mais au lycée, elle ne retrouvait aucune de ces activités. À part le sport, la plupart des élèves ne juraient que par les sciences politiques.

Le proviseur découvrit son front dégarni en repoussant une mèche de cheveux.

— Malheureusement, commença-t-il, c'est un problème délicat, vu les restrictions budgétaires actuelles. Je ne suis pas certain de pouvoir faire quelque chose.

— Je suis sûre du contraire, monsieur, répliqua Rachel.

Selon elle, les gens qui refusaient de l'aide agissaient uniquement par paresse : imaginer les moyens de procéder autrement les fatiguait.

— Alors, explique-moi.

Le matin même dans sa chambre, elle avait passé une demi-heure sur son vélo d'appartement pour préparer son discours. Tous les jours, elle se levait tôt pour faire du cardio ou du yoga car elle tenait absolument à garder la forme.

— J'ai remarqué qu'on bâclait la lecture des communiqués du matin. Je vous propose donc d'y ajouter… une note artistique ! ajouta-t-elle dans un geste théâtral, comme si elle venait de révéler le nom du gagnant aux Oscars.

— Mais, Mme Applethorne a toujours…

— Je sais.

C'était l'intendante du lycée. On l'avait aussi chargée d'annoncer les événements importants de la journée, tâche dont elle s'acquittait avec l'enthousiasme d'un croque-mort.

— J'ai pensé que vous pourriez donner sa chance à quelqu'un, reprit Rachel. Une personne capable de manifester plus d'entrain, par exemple.

Elle avait du mal à se tenir tranquille : elle semblait si près du but ! Enfin, les autres lycéens allaient découvrir sa voix merveilleuse ! Enfin, elle parviendrait à se faire remarquer ! Ce serait un peu comme un programme radiophonique. Seulement, personne ne pourrait changer de station, et son auditoire n'aurait pas d'autre choix que de l'écouter ! Après tout, beaucoup de gens célèbres, comme Ryan Seacrest, avaient débuté leur carrière à la radio. Et puis, elle était beaucoup plus douée…

Le proviseur se cala dans son fauteuil.

— Ce n'est pas une mauvaise idée. Mme Applethorne se plaint de vertiges chaque fois qu'elle se retrouve devant le micro.

— Parfait ! s'exclama Rachel.

Le malheur des uns faisait vraiment le bonheur des autres ! Pourtant, une moue apparut sur le visage du proviseur.

— Ce n'est qu'un essai. Je te donne deux semaines, après on verra. Tu peux commencer aujourd'hui, continua-t-il en lançant un coup d'œil à sa montre. Tu as juste le temps de te rendre au bureau de Mme Applethorne.

Quelques minutes plus tard, Rachel réglait le micro avant de passer un coup de brosse dans sa chevelure sombre. Personne ne la voyait, mais peu importait, elle voulait quand même paraître à son avantage. L'équipement lui sembla rudimentaire : elle s'attendait à mieux. Tant pis, elle s'en contenterait !

— Il suffit d'appuyer sur le bouton rouge et de lire la feuille, lui indiqua Mme Applethorne en sortant avec son tricot et ses aiguilles.

— Merci, répondit poliment Rachel, soulagée de la voir partir. *La la la la la la la laaaaa !* chanta-t-elle pour s'échauffer la voix.

Elle avait l'estomac noué et le cœur qui battait à tout rompre : enfin, son corps renaissait ! Après un long engourdissement, elle retrouvait ce trac délicieux propre à la scène.

Elle pressa le bouton rouge.

« Bonjour, tout le monde ! Ici Rachel Berry pour vos annonces du matin, déclama-t-elle avant d'inspirer profondément. J'aimerais commencer par vous interpréter un extrait d'une comédie musicale que vous aimez tous, j'en suis sûre, “Singin' in the Rain”. »

Elle se lança aussitôt : ce chant enthousiaste était sa façon de souhaiter une bonne journée à ses auditeurs. Elle les imaginait, dans leur classe, subjugués par sa voix mélodieuse. Elle croyait les entendre chuchoter : « Qui est-ce ? Rachel Berry ? Quel talent ! » Mme Applethorne ne se manifesta même pas pour interrompre sa prestation. Soit elle était émerveillée par ses prouesses, soit complètement absorbée par son tricot. En tout cas, son silence arrangeait bien la jeune fille.

Quand elle eut fini, elle passa sans transition aux annonces.

« Voici les nouvelles de la journée : je compte sur vous pour assister au concert de vendredi, au cours duquel les groupes de musiciens et de chanteurs du lycée se succéderont ! »

Rachel avait hésité à proposer sa participation à la chorale. Après réflexion, elle avait estimé que l'école n'était pas encore prête à la découvrir dans toute sa gloire.

« Par ailleurs, continua-t-elle, l'élection du roi et de la reine commencera à l'heure du déjeuner. »

« Quelle plaie ! » pensa-t-elle. Chaque fois, les votes ne réservaient aucune surprise : on choisissait la plus jolie blonde d'un côté, et le plus beau sosie de Ken, de l'autre.

« Les résultats seront dévoilés après le match de football, lors du bal qui suivra, et le couronnement aura lieu à ce moment-là. Je terminerai cette annonce en attribuant l'Étoile d'Or Rachel Berry de la semaine, un prix qui récompense toute personne ayant amélioré significativement la vie du lycée. »

L'idée de cette Étoile lui était venue la nuit précédente : c'était un bon moyen de donner un peu d'elle à son école.

« Cette semaine, j'aimerais la décerner à… »

Elle s'interrompit, cherchant à accroître le suspense.

« … moi-même, pour avoir rendu leur âme aux annonces du matin. »

Heureusement que Mme Applethorne n'écoutait pas ! C'était un fier service rendu à son établissement, même si Rachel en avait peut-être un peu trop fait. Elle pouvait toujours attendre qu'on lui jette des fleurs, elle le savait très bien. Alors, autant s'en charger elle-même !

« J'espère avoir mis un peu de soleil dans votre matinée ! conclut-elle. À demain ! »

Elle éteignit le micro, tout émue de sa prestation. Ça y était, elle l'avait fait ! C'était la première étape vers la reconnaissance et l'admiration des autres. Et, qui sait ? L'année suivante, elle serait peut-être élue reine à son tour. Elle en tremblait d'excitation.

Elle enfila son sac à dos pour quitter le bureau. Dans le couloir, des élèves ouvraient leur casier avec fracas tandis que d'autres se chamaillaient. Elle ne disposait que de quelques minutes avant le premier cours pour atteindre son vestiaire. Les lycéens devaient la voir de manière totalement différente, maintenant ! Cette agréable pensée lui fit monter le rose aux joues.

Mais personne ne lui prêta attention. Ses camarades passaient devant elle comme si de rien n'était. Ils avaient la mémoire courte, ou quoi ? Son intervention ne pouvait pas les laisser indifférents, c'était impossible ! Une seule explication : ils étaient tous trop jaloux pour admettre son indéniable talent. Cette pensée la réconforta.

Elle leva les yeux vers Sue Sylvester, le coach des Cheerios, les pom-pom girls du lycée. Elle n'était pas du genre à rigoler ; Rachel se redressa instinctivement. La jeune fille ne l'aimait pas spécialement, mais admirait son parcours : en dépit de son poste peu prestigieux, cette femme était parvenue à donner le meilleur entraînement du Middle West à son équipe, championne nationale depuis douze ans consécutifs. Les statuettes dorées remplissant les vitrines du lycée en témoignaient.

— Prépare-toi à te faire lyncher, lui lança l'entraîneuse. Cette publicité autour de ta petite personne était vraiment détestable, ajouta-t-elle, les poings dans les poches de son jogging rouge.

— Quoi ? lâcha Rachel.

Sue Sylvester avait déjà tourné les talons.

— Personne ne milite pour moi, il faut bien que je m'en charge ! plaida-t-elle.

— Tiens, voilà ton prix, cria quelqu'un.

Lorsqu'elle se retourna, Rachel eut à peine le temps d'apercevoir une masse de footballeurs avant de recevoir en pleine figure une substance rouge et glacée. Ses agresseurs disparurent aussitôt, leurs rires résonnant dans le couloir.

Rachel inspira profondément. Être bombardée de granité n'avait rien de nouveau pour elle. Ces types ne débordaient pas d'imagination. Ils lui avaient fait subir ce rituel une douzaine de fois au moins l'année précédente. D'ailleurs, elle gardait toujours en réserve des vêtements de rechange, au cas où.

« Bien essayé, les gars, mais il en faudra un peu plus pour décourager Rachel, maintenant. »

Au moins, ils l'avaient entendue chanter !

« L'heure de mon triomphe sonnera bientôt ! », songea-t-elle encore en se dirigeant vers son casier, ignorant les regards tournés vers son cou dégoulinant de glace fondue. Le lycée McKinley s'apprêtait à vivre des jours importants, et elle comptait bien y être pour quelque chose.

Sur cette pensée, elle enfila un pull propre.

Lundi midi, cafétéria du lycée

La cafétéria où se pressaient les élèves sentait les pommes de terre brûlées et les pâtes au fromage mal cuites. Les stars locales se rassemblaient autour des tables les plus convoitées, celles qui bordaient les fenêtres donnant sur la cour. Il y avait là les Cheerios, les sportifs, les beaux gosses, et enfin, portant des jeans de marque, les riches – certains d'ailleurs à la fois beaux et riches. Les footballeurs, toujours aussi spirituels, s'aspergeaient de lait en soufflant dans des pailles ou se mitraillaient de fruits en conserve. Sans doute voulaient-ils montrer qu'ils régnaient en maîtres sur la jungle des élèves. Et, effectivement, on aurait dit des bêtes.

— Je ne peux pas avaler ça, se plaignit une des pom-pom girls en agitant sa fourchette, où pendait une pâte spongieuse. Et je n'ai pas l'intention de rester le ventre vide ! Je ne suis pas au régime, que je sache !

— Sylvester a dit que tu étais un peu lente à l'entraînement, lui souffla une fille à côté d'elle. Peut-être que tu devrais t'y mettre...

Divers petits groupes occupaient les tables du milieu. Les yeux rivés sur les lycéens populaires, ils n'aspiraient qu'à une chose : entrer dans leur clan.

Tous les autres se trouvaient relégués le long du mur, comme des pestiférés : les gothiques, les musicos, ceux qui se fourraient les doigts dans le nez en public, et, enfin, oubliés dans le coin le plus obscur, près des plateaux, les membres de Glee, la chorale du lycée. Tina Cohen-Chang, jolie Asiatique à la chevelure brillante où des mèches bleues se perdaient, avalait un yaourt à la myrtille en fredonnant le dernier tube de Lady Gaga, le pied battant la mesure.

— Tu as vu cette chanteuse hier soir sur la chaîne Idol ? demanda-t-elle au garçon à ses côtés. Celle qui a repris « Imagine », en version jazz ? Elle est géniale !

— John Lennon se retournerait dans sa tombe... objecta son ami en rejetant ses cheveux en arrière.

Kurt Hummel jeta un regard autour de lui. Il n'appréciait pas de se retrouver là, loin des beaux mecs, mais manifestement personne dans ce lycée n'était décidé à lui accorder sa chance. C'était l'élève le mieux habillé de l'établissement, ce qui n'empêchait pas les autres de le balancer dans la benne à ordures. Ils n'avaient apparemment jamais entendu parler d'Alexander McQueen.

Il suffisait à Kurt de tourner légèrement la tête à gauche pour admirer le beau Finn Hudson engloutir une part de pizza huileuse. Qu'est-ce qu'il ne donnerait pas pour prendre la place du pepperoni luisant qui s'y trouvait !

— Oh non, c'est pas vrai ! s'exclama Mercedes Jones en donnant un coup de coude à Tina.

Mercedes, l'une des rares Afro-Américaines du lycée, vivait difficilement sa mise à l'écart, due, selon elle, à son appartenance à une minorité ethnique. Par conséquent, elle manquait rarement une occasion de se révolter contre toute forme d'injustice.

— Les Cheerios font payer les votes! s'insurgea-t-elle.

Tina et Kurt, en suivant du regard le doigt accusateur de leur amie, découvrirent la belle Quinn Fabray, la pom-pom girl en chef, flanquée de Santana et Brittany, ses équipières un peu moins jolies, au milieu de la salle : elles trônaient devant une table transformée en bureau de vote. S'y dressait un panneau rose fluorescent sur lequel on lisait en lettres énormes :

Voter pour le roi et la reine
Un dollar le vote!
Sponsorisé par les Cheerios

Avec leur rouge à lèvres brillant assorti à leur tenue de pom-pom girls, elles faisaient de belles affaires : des élèves tendaient avidement leur argent pour obtenir le privilège de déposer leur vote dans l'urne.

— Payer pour voter! siffla Mercedes entre ses dents. Les sudistes eux-mêmes ne s'y prenaient pas autrement pour empêcher les gens de s'exprimer… Ils ne l'ont pas emporté au paradis. Et elles ne s'en tireront pas comme ça!

— Tu… tu vas t'en mêler? s'inquiéta Tina en se rongeant nerveusement les ongles.

Elle détestait les conflits.

Mercedes soupira, puis se cala dans sa chaise pour mordre dans une pomme verte.

— À quoi bon ? se résigna-t-elle.

Kurt lui tapota soudain le bras :

— Ce ne serait pas cette fille qui a lu les annonces ce matin, là, cette Rachel ? demanda-t-il en désignant du menton le bureau de vote improvisé.

En effet, Rachel Berry, débarrassée de toute trace de granité et revêtue d'un pull marin en V, s'approchait des Cheerios. Le spectacle de tous ces gens achetant leur droit de vote la rendait malade – à moins que ce ne soit la traînée poisseuse laissée sur la fenêtre par les pâtes gélatineuses que quelqu'un y avait projetées.

— J'ai deux choses à te dire, lança Rachel en doublant une fille en T-shirt Victoria's Secret. Premièrement, tu as fait une faute d'orthographe : *Votez* s'écrit avec un « z » à la fin.

Quinn, les mains pleines de billets, leva la tête vers elle et se raidit. Quoi ? La pire des minables de ce lycée, cette Rachel, osait lui parler sur ce ton ? Elle se rappelait seulement son nom parce qu'elle avait copié sur elle en cours d'histoire, l'année précédente. Elle s'apprêtait à lui envoyer une réplique bien cassante mais Brittany, incarnation parfaite de « la blonde », la devança :

— Et deuxièmement ? demanda-t-elle en dodelinant la tête comme si elle cherchait à chasser de l'eau de son oreille.

— On s'en fiche du deuxièmement, la coupa Quinn.

Elle se leva pour se mettre à la hauteur de Rachel.

— Maintenant, je te prierais de dégager sans faire d'histoires et de laisser les autres acheter leur bulletin.

— Deuxièmement, reprit Rachel d'une voix plus forte, et c'est encore pire, vous faites payer les gens pour voter ! C'est ignoble !

Ce n'était pas tant qu'elle cherchait à provoquer les Cheerios. Elle voulait juste attirer l'attention sur elle. Et surtout, elle ne supportait pas de voir ses camarades exécuter les quatre volontés de ces écervelées.

Quinn sentit la moutarde lui monter au nez.

— Ton problème, c'est que tu n'as pas assez de fric pour t'acheter des voix, lança-t-elle. Si t'évitais de te payer ces fringues ringardes de gamine intello, tu en aurais peut-être assez pour gagner ces élections. Et tu la bouclerais.

— Il faudrait qu'elle s'achète un bon paquet de voix, commenta Santana Lopez en détaillant la tenue de Rachel. Un sacré paquet, même !

Brittany se mit à ricaner, imitée par ses camarades, et Rachel fit un pas en arrière, à la recherche d'une réplique. Comme souvent, les mots ne vinrent pas. Elle les trouvait en général avec une heure de délai.

Mais cette fois, miracle ! Elle n'eut pas besoin de se creuser la tête :

— Pardon de vous interrompre, lança un jeune homme en jouant des coudes.

Kurt Hummel... Vêtu d'un pull vert asymétrique orné de boutons sur une manche, il sortit un portefeuille Gucci de sa poche arrière. Quinn Fabray et ses amies à la plastique parfaite le fatiguaient. Elles menaient tout le monde par le bout du nez sous prétexte de leur peau parfaite, leur poitrine de rêve et leur chevelure impeccable qui revenait en place même après avoir fait la roue. Il saisit un billet de cinquante dollars et le jeta négligemment sur la table.

— J'achète cinquante voix à Rachel.

Quinn devint livide.

— À qui ? s'étrangla-t-elle en lançant des regards désemparés autour d'elle. À elle ?

Des rires éclatèrent un peu partout, et Rachel prit soudain conscience que tout le monde la regardait. Elle ramena ses cheveux derrière les oreilles. Ils étaient encore tout aplatis par le projectile glacé reçu un peu plus tôt. Sans réfléchir, elle attrapa le billet laissé par Kurt. Quelle mouche l'avait piqué, celui-là ? Cinquante dollars, c'était cher payé ! En le voyant s'éloigner d'un air fier, visiblement content d'avoir cloué le bec aux Cheerios, Rachel eut des scrupules à déposer l'argent dans leur urne pleine à craquer.

Elle le suivit dans le couloir en ignorant les yeux braqués sur elle. Qu'on la lorgne ou qu'on se moque d'elle ne la gênait pas. Elle préférait ça plutôt que de rester dans l'ombre. Et quand quelqu'un se rangeait de son côté, c'était encore mieux, même si là, cet acte n'avait pas beaucoup de sens.

— Tu n'avais pas besoin de faire ça, cria-t-elle à l'adresse de Kurt, dans le couloir vide.

Elle le rattrapa pour lui tendre son billet. Le jeune homme le contempla un instant avant de le saisir délicatement entre le pouce et l'index.

— Alors, ça veut dire qu'aucun de nous ne sera reine...

Rachel sourit. L'assurance du garçon lui imposait le respect, même s'il faisait partie des parias du lycée. Elle se rappela son comportement la dernière fois que les footballeurs l'avaient jeté dans la poubelle du parking : il s'était extrait de la benne, puis avait ôté nonchalamment les saletés de ses vêtements avant de les défroisser. Ensuite, il était retourné tranquillement à ses occupations. Et lorsque Quinn avait fait allusion à son homosexualité devant tout le monde, il n'avait pas bronché.

— Tu sais, confia-t-elle en remontant son sac à dos sur l'épaule, mes deux pères ont subi le même genre de traitement au lycée…

— Ah, tu as deux pères ? s'étonna Kurt.

— Ils sont géniaux. Quelquefois, je me dis que j'ai vraiment de la chance, et qu'il n'y a rien de bizarre là-dedans, après tout.

Kurt la regarda pensivement. Elle s'attendait à ce qu'il continue sur le même sujet. Au lieu de ça, il déclara :

— Je t'ai écoutée chanter ce matin.

Il fit une moue, comme s'il hésitait à poursuivre.

— C'était pas mal.

Pas mal ? Venant de Kurt, l'expression ressemblait à un immense compliment. Tout ce qu'elle avait récolté jusque-là, c'étaient des regards hostiles et un projectile glacé : elle se sentit soudain pousser des ailes.

— Merci, dit-elle d'un air modeste qui ne lui ressemblait pas.

— Peut-être que ça t'intéresserait d'entendre ce que fait le groupe en ce moment. Viens nous rejoindre après les cours, si tu veux.

Il désignait visiblement par ce « nous » l'Asiatique qui avait tendance à bégayer, ainsi que Mercedes Jones. Comme Glee était en train de se reformer, ils recherchaient sans doute de nouveaux membres.

— Oh, je ne sais pas, objecta-t-elle. J'avais demandé à M. Ryerson d'en faire partie l'année dernière. Il m'a répondu que je ne devais pas m'attendre à obtenir le solo, parce qu'il ne recrutait que des garçons à cette place. De toute façon, je crois qu'il ne supporte pas d'entendre de vrais artistes.

— M. Ryerson n'est pas le plus inspiré des profs que la chorale ait eus, admit Kurt. Mais ne t'inquiète pas, il nous laisse souvent tranquilles. Il sera même absent ces prochains jours : notre prof, célèbre pour ses chemises roses, s'apprête à participer au congrès annuel des collectionneurs de poupées... On répète cet après-midi et, à vrai dire, on a besoin de renforts.

— Je vais vérifier mon agenda, baratina Rachel. J'y réfléchis.

Les yeux bleus de Kurt la dévisagèrent.

— Alors, peut-être à tout à l'heure, conclut-il.

— Oui, peut-être.

L'adolescente retint un sourire. Elle était curieuse de découvrir ce que le groupe valait.

À la cafétéria, le calme était revenu : une queue disciplinée s'était reformée devant les Cheerios. Quinn lança à Brittany un coup de coude dans les côtes.

— Bien joué, le coup de la pancarte ! Je suis sûre que ta faute de conjugaison nous fait perdre des clients.

Brittany, clignant des paupières, saisit un bâtonnet de carotte dans le Tupperware posé sur ses genoux.

— Tu sais bien que je déteste l'orthographe, se défendit-elle.

— Ce n'est pas de l'orthographe, mais de la grammaire ! répliqua Quinn.

De toute façon, c'était peine perdue avec elle. Brittany ne comprenait jamais rien à rien. Quinn ne lui confierait plus de missions importantes, désormais !

— Bon, je vais arranger ça, déclara-t-elle d'un ton agacé en attrapant un marqueur dans son sac.

Elle attendit qu'il y ait un peu moins d'affluence pour sauter sur la table. Ceux qui resteraient en profiteraient pour admirer sa culotte sous sa jupe courte. Elle n'était pas présidente du club de chasteté pour rien : ils n'avaient pas le droit de toucher, mais qu'ils ne se gênent pas pour regarder ! Elle décapuchonna son marqueur et changea le « r » en « z ».

— On n'y voit que du feu, ou presque, la félicita Finn Hudson.

— Merci, répondit Quinn en tournant la tête vers lui.

Il était canon, d'une beauté tout américaine. À huit ans, quand elle s'imaginait en mariée, dans une robe de princesse rose pâle signée Vera Wang, s'avançant dans l'allée bordée de centaines de tulipes blanches, le fiancé qui l'attendait dans le chœur ressemblait trait pour trait à Finn. Il était tellement grand que debout sur la table, elle le dépassait à peine. Ses cheveux châtain clair légèrement ébouriffés lui donnaient un air attendrissant.

— Aide-moi à descendre, demanda-t-elle en lui tendant la main.

Santana ne les quittait pas du regard : toutes les filles du lycée craquaient plus ou moins pour Finn. Dommage pour elles ! Car Quinn avait décidé cette année de devenir sa petite amie. Ou plus exactement, ce serait cette année qu'elle autoriserait Finn à sortir avec elle.

Le jeune homme lui adressa un grand sourire. Ensuite, au lieu de lui prendre la main pour l'aider à poser le pied sur la chaise, il la saisit par la taille. Elle se sentit étreinte un instant avant d'être déposée par terre, sur le lino orange.

— Ce n'est pas tout à fait ce que j'attendais, mais merci quand même, minauda la pom-pom girl en levant ses longs cils vers lui.

Quinn et Finn. Finn et Quinn. Même si l'association de leurs prénoms sonnait un peu trop comme dans un conte de fées, ils étaient faits l'un pour l'autre. Finn Hudson était le plus beau type du lycée et un excellent quarterback… même s'il n'avait pas pu empêcher son équipe de perdre tous les matchs. Enfin bref, elle n'y accordait pas d'importance de toute façon. Quant à Quinn, elle avait travaillé dur pour accéder au titre de pom-pom girl en chef.

Si Finn et elle se mettaient ensemble, cela augmentait leur chance d'être élus roi et reine. Pour le jour du couronnement, Quinn avait déjà prévu une coiffure permettant à ses cheveux de rester bien en place quand le proviseur ou quelqu'un d'autre – peu importe – lui déposerait le diadème sur la tête.

— Tu as l'air très occupée avec ces votes, constata Finn en contemplant ses chaussures.

Puis il la dévisagea. Il avait cette manie attendrissante de n'oser lever le regard sur son interlocuteur qu'à la fin de sa phrase. Son manque d'assurance ne répondait pourtant pas tout à fait aux goûts de Quinn.

— Comme dirait Sylvester : « Une Cheerio n'a jamais fini de travailler », admit-elle.

Par-dessus l'épaule de Finn, elle aperçut Puck Puckerman, le coéquipier et meilleur ami du quarterback. Puck ne se tenait jamais tranquille : à ce moment précis, il avait tendu un élastique entre deux crayons pour projeter un grain de raisin à la tête d'un camarade. Sa crête iroquoise le rendait un peu ridicule. Quel gâchis ! Coiffés autrement, ses cheveux bruns auraient été magnifiques. En dépit de tout, il dégageait un « *sex-appeal* » incroyable, pour employer l'expression de sa mère lorsqu'elle évoquait une star de cinéma. Quelque chose d'animal et de dangereux émanait de sa personne. Quinn frissonna à l'idée de se retrouver seule avec lui.

— Qu'est-ce que tu fais après les cours ? demanda Finn de son air doux de labrador.

— Je vais à l'entraînement, comme d'habitude, répondit la jeune fille, le regard ramené malgré elle vers Puck.

Cette fois, celui-ci le capta avant qu'elle ait pu détourner la tête : il esquissa un sourire sarcastique. Super ! Il n'allait pas manquer de se moquer d'elle maintenant ! Elle rougit légèrement. Elle devrait le convaincre qu'il avait rêvé.

La jeune fille se tourna vers Finn pour poser la main sur son bras nu.

— Et toi, qu'est-ce que tu fais demain ? Ça te dirait de venir avec moi au club de chasteté après mon entraînement ? Ensuite, on pourrait aller manger une glace.

Quinn, lassée d'attendre que son soupirant fasse le premier pas, avait décidé de passer à l'attaque. Ils se connaissaient depuis l'année précédente et rien ne s'était jamais passé entre eux. Mais maintenant, elle se sentait prête à perdre son statut de célibataire pour un moment. Après tout, toute reine avait besoin d'un roi.

— Oui, ça me ferait plaisir, répondit Finn, tout émoustillé par le contact de sa main sur son bras.

Cela valait la peine d'aller s'ennuyer au club de chasteté, le second loisir préféré de Quinn. Cette perspective ne l'aurait pas tenté en temps normal, mais il y voyait un modeste prix à payer pour passer du temps avec la fille la plus sexy du lycée. Certes, elle se montrait parfois cassante, mais le milieu compétitif dans lequel elle évoluait au sein des Cheerios expliquait sans doute son caractère endurci. Sa bouche en forme de cœur lui paraissait irrésistible… Il aurait été fou de refuser sa proposition. Et Finn Hudson était tout sauf fou.

Lundi soir, salle de musique

À la fin des cours, les couloirs de McKinley se vidaient rapidement, car la plupart des élèves se rendaient à leurs activités extrascolaires, à leur entraînement de sport, ou, pour les nombreux cancres du lycée, à leur heure de colle. Dans la salle de musique se trouvaient les rescapés du groupe Glee : Mercedes, Tina, Kurt et Artie Abrams, un étudiant en chaise roulante.

C'était une grande pièce insonorisée où des panneaux mobiles permettaient une excellente acoustique. La journée, elle rassemblait la bande de musiciens qui, allez savoir pourquoi, était plus estimée que les membres de la chorale. Des casiers le long des murs donnaient la possibilité de ranger les instruments, et des étagères, d'empiler les partitions. Sur le tableau, quelqu'un avait inscrit la liste des morceaux que devait jouer la fanfare pendant le match de foot : « We Will Rock You », « Another One Bites the Dust » et la musique de *Star Wars*. S'y ajoutait l'emploi du temps du groupe de jazz : « Lundi, jeudi, vendredi : répétitions à 18 h 30 ». Enfin, tout en haut, en grosses lettres : « Vendredi : concert "Amoureux de la musique" ». Un piano à queue et des baguettes posées sur un tabouret, à côté d'une batterie, attendaient d'être utilisés.

Le programme chargé des musiciens contrastait avec la pauvreté de l'emploi du temps de la chorale, que les années avaient décimée : de plusieurs dizaines, ses membres étaient passés à quatre. Le groupe avait connu son heure de gloire dans les années quatre-vingt-dix, où il donnait du fil à retordre aux autres candidats lors des concours régionaux. Mais depuis, il avait traversé des moments difficiles, notamment à cause de restrictions budgétaires et du manque d'intérêt des élèves pour le chant. Peu de professeurs étaient motivés pour en reprendre les rênes : passé de main en main, il se retrouvait finalement sous la direction molle de Sandy Ryerson. Et maintenant, le groupe n'était plus que l'ombre de lui-même. L'intégrer revenait à se couper définitivement du reste des élèves.

Malheureusement, les quatre chanteurs ne s'accordaient pas bien. Tandis que Mercedes, la meilleure d'entre eux, s'époumonait sur « Tonight », une des chansons de *West Side Story*, les autres se contentaient de l'accompagner en fredonnant. Ils n'étaient pas mauvais pour autant : en dépit de son manque d'assurance, Tina possédait un bel alto, Kurt pouvait monter dans des aigus saisissants, et Artie avait une voix chaude et profonde. Le problème : leur nombre insuffisant.

— Ça pourrait être mieux, commenta Kurt lorsque Mercedes eut fini.

Personne ne trouva à le contredire.

— Ne le prends pas mal, Mercedes, continua-t-il, les mains enfoncées dans son jean moulant, en voyant le visage de celle-ci s'assombrir. Tu n'es pas en cause. Toi, tu es géniale.

— Je sais, admit la jeune fille en s'éclaircissant la voix, les yeux vers la cour où des footballeurs se lançaient un frisbee. C'est juste qu'on n'a pas encore eu le déclic…

— Et il nous reste peu de temps, rappela inutilement Tina. Le spectacle est prévu pour vendredi.

Tous se tournèrent vers l'inscription en lettres capitales, en haut du tableau. Artie fit pivoter sa chaise roulante.

— On va encore se faire humilier, se plaignit-il. J'ai reçu deux granités rien que ce matin.

— C'est nul, compatit Kurt.

Les élèves de ce lycée s'amusaient vraiment à des jeux débiles. Ce n'étaient que de sombres brutes dégoulinantes de sueur.

— Il faut juste qu'on travaille davantage, déclara Mercedes en tapant des mains.

Elle se produisait dans la chorale de l'église depuis ses huit ans et pouvait faire fondre en larmes la plus aigrie des vieilles dames en interprétant « Amazing Grace ». C'était elle la vedette du groupe, et elle n'avait pas l'intention de se ridiculiser devant tout un parterre d'élèves. Ses camarades aussi disposaient d'un certain talent, du moins lorsqu'ils chantaient séparément. Ils devaient seulement trouver le moyen d'accorder leurs voix. Et pour cela, ils allaient s'entraîner jusqu'à l'épuisement, s'il le fallait.

— Allez, on recommence depuis le début ! lança-t-elle.

— Encore! grogna Tina en s'affaissant sur sa chaise.

Même si elle adorait chanter, elle n'était plus très sûre de vouloir s'exhiber devant l'école entière. Elle avait cédé aux prières des autres, mais ses premières réticences lui revenaient maintenant.

— On n'est pas assez bons, objecta-t-elle.

— Bon, arrêtons de nous plaindre et mettons-nous au travail, l'interrompit Mercedes. Je ne compte pas me payer la honte sur scène. Vous êtes prêts? demanda-t-elle avec un regard insistant pour chacun de ses camarades.

Ils se remirent à l'ouvrage. Cette fois, une petite amélioration se fit sentir.

Soudain, au beau milieu de la chanson, la porte s'ouvrit violemment pour aller heurter une rangée de pupitres. Rachel Berry apparut dans l'embrasure. On l'aurait dit sortie d'un épisode de *La Petite Maison dans la prairie*, avec sa jupe en velours côtelé, son pull de collégienne et ses chaussettes qui lui montaient aux genoux. Elle affichait un sourire jusqu'aux oreilles. À part Kurt, personne ne s'attendait à la voir débouler : le groupe s'arrêta net de chanter.

— Quelle interprétation pitoyable! commença-t-elle. Artie, tu es mou. Kurt, ta voix perce les tympans. Toi, la fille dont j'ignore le nom, ajouta-t-elle en pointant l'index vers Tina, ouvre grand la bouche quand tu chantes. Quant à toi, Mercedes…

L'expression de celle-ci ne l'engageait pas à poursuivre.

— Tu n'oserais pas… répliqua l'interpellée, la main sur la hanche, en faisant un pas en avant comme si elle voulait se jeter sur elle. Tu te prends pour Simon Cowell dans *American Idol*?

— C'est quoi ces paillettes sur ses chaussettes? chuchota Tina à l'adresse d'Artie, stupéfaite par les points dorés parsemant les jambes de Rachel. Et elle croit pouvoir nous donner des conseils? continua-t-elle en ouvrant bien grand la bouche.

C'était vrai qu'elle n'osait pas chanter à pleine voix. Mais ce n'était pas sa faute : comme elle bégayait, elle préférait ne prendre aucun risque.

Rachel ne broncha pas, continuant de sourire d'un air déterminé. Ses chaussures claquèrent doucement sur le lino lorsqu'elle s'avança.

— Après mûre réflexion – même si, ayant suivi des cours de chant depuis ma naissance, je suis surqualifiée pour n'importe quelle activité de ce lycée –, j'ai décidé de faire partie de votre groupe.

Personne ne broncha.

— Votre piètre niveau me laisse penser que je suis la personne qu'il vous faut.

Tina et Artie échangèrent des coups d'œil désemparés, tandis que Kurt se passait nerveusement la main dans les cheveux, saccageant du même coup la coiffure qu'il avait si soigneusement élaborée, le matin même, à grands renforts de laque. La voix de Rachel l'avait-il à ce point hypnotisé qu'il en avait oublié son caractère détestable? Ce n'était qu'une lèche-bottes, une mademoiselle je-sais-tout, qui avait le don de faire fuir tout le monde. L'avoir invitée à cette répétition s'avérait sans doute une grosse erreur.

Mercedes toisait Rachel, la détaillant de la tête aux pieds : ce discours n'avait pas l'air de la faire rire. Elle paraissait même carrément furieuse.

— Je ne sais pas pour qui tu te prends, avec tes barrettes à cœurs ridicules, mais tu n'es pas notre prof et personne ne t'a invitée. Alors ferme-la et retourne jouer avec tes poupées.

— En fait… objecta Kurt en se tournant vers le groupe, c'est moi qui l'ai invitée…

— Quoi ??? suffoqua Mercedes en le mitraillant du regard, comme s'il venait de tuer son chien.

— Écoute, se justifia-t-il. Il faut bien se rendre à l'évidence : on est nuls. Si on ne change pas de tactique, Glee est mort. On a tous entendu Rachel chanter ce matin, continua-t-il en triturant la montre en or héritée de son grand-père. Et même si faire sa propre publicité peut paraître de très mauvais goût, avouez qu'elle a une voix incroyable.

— Merci, répondit Rachel.

Elle avait compris à présent qu'il valait mieux ignorer les remarques négatives pour ne retenir que les compliments. La carrière d'artiste qui lui tendait les bras exigeait cette règle d'or.

Kurt la détailla avec un hochement de tête désapprobateur : pour une fille qui voulait se lancer dans la chanson, son look s'avérait vraiment désastreux. Les grandes chaussettes, notamment, étaient atroces.

— Malgré les apparences, je crois que Rachel constitue notre dernière chance, conclut-il.

— Non, mais j'y crois pas ! hurla Mercedes en lançant un regard haineux à Kurt.

Il lui apparut soudain comme un étranger, dans son pull en cachemire à col roulé et son pantalon moulant. Alors comme ça, non seulement il trouvait quelque chose à redire à son talent, mais en plus il faisait confiance à cette pimbêche ? Elle qui le croyait son ami ! C'était pire qu'un granité en pleine figure !

— Mercedes, tu… tu sais bien que t'es gé… géniale, ne le… prends pas pour toi, lança Tina, elle-même étonnée de son audace.

Elle trouvait que Rachel s'en était vraiment bien tirée le matin même, beaucoup mieux que Mme Applethorne, avec son débit monotone. L'idée qu'une fille si sûre d'elle la prenne en main la rassurait : elle l'aiderait sans doute à combattre sa timidité maladive.

— Tu sais, continua-t-elle, on… on a besoin de plus qu'une chanteuse exceptionnelle : il nous faut… quelqu'un qui sache vraiment nous… nous entraîner.

Mercedes cligna des paupières. Le matin, en écoutant Rachel, elle avait pensé : « Ça alors, elle chante drôlement bien ! » Elle essaya de s'imaginer sur scène avec ses trois camarades au concert du vendredi. À moins d'un miracle, ce serait la catastrophe. Et si la solution se trouvait dans cette fille vêtue d'une jupe triste et de chaussettes à paillettes ridicules ? Ce n'était pas impossible… de toute façon, ils n'avaient rien à perdre.

— O.K., elle peut rester, soupira-t-elle.

Rachel s'abstint pour une fois de tout commentaire, même si elle brûlait de répliquer à Mercedes qu'elle n'avait besoin d'aucune permission pour rester.

— Pour l'instant, ajouta Mercedes en la regardant avec insistance.

— Tu ne le regretteras pas, assura Rachel en s'asseyant devant le piano pour laisser courir ses doigts sur les touches. Je vous préviens, il va falloir mettre les bouchées doubles ! Ce ne sera pas toujours drôle. Mais si vous voulez progresser, vous avez intérêt à suivre mes conseils. On va s'entraîner dur tous les soirs jusqu'à vendredi.

Mercedes haussa les sourcils. Ça promettait !

Mardi matin, cours d'espagnol de M. Schuester

Tina ne tenait pas en place.

— C'est incroyable les progrès qu'on a déjà faits avec elle, confia-t-elle à Artie avant les cours.

C'était l'un de ses moments préférés : d'abord, elle pouvait parler avec son ami, ce qui la mettait dans de meilleures dispositions pour affronter les moqueries qui suivraient tout au long de la journée. Artie était si gentil ! Et puis, elle adorait le poster affiché près de son bureau : une reproduction d'un Picasso représentant Don Quichotte monté sur un cheval famélique.

— Si elle pouvait être un peu moins... commença Artie, assis à la seule table adaptée à son fauteuil.

Il hésitait à employer un adjectif trop sévère : Rachel devait bien avoir des qualités, comme tout le monde, même si elle se gardait bien de les montrer. Sa mère lui répétait souvent qu'il ne fallait pas dire du mal des autres. Aujourd'hui, il se rendait compte combien il était difficile de mettre cette théorie en pratique.

— … tyrannique ? suggéra Tina en lui dessinant une tête de mort sur son cahier. Gonflante ? Teigneuse ?

Rachel lui avait reproché de s'exprimer comme une enfant de deux ans. Elle n'y pouvait rien : elle avait un problème d'élocution !

Artie ajusta ses lunettes à monture noire. Il voulait relire une dernière fois la liste de vocabulaire sur laquelle M. Schuester allait les interroger.

— J'allais dire « grande gueule », mais tous ces mots conviennent aussi.

Leur discussion fut interrompue par un grésillement sourd venant des haut-parleurs : on avait ouvert le micro dans le bureau de l'intendante.

— Voyons ce qu'elle nous a préparé aujourd'hui, murmura Tina en se tournant vers les enceintes surplombant le tableau.

Quelqu'un y avait mal conjugué le verbe *Ser*, et M. Schuester ne s'en était apparemment pas aperçu. À côté, une grande carte de l'Espagne pendait, à moitié déroulée.

« Bonjour à tous, lança la voix joyeuse de Rachel. Voici les nouvelles du matin : l'équipe de football, en dépit de belles attaques contre le lycée Troy, a malheureusement été battue dans les dernières secondes du match. Vous y arriverez la prochaine fois, les gars ! »

Puis elle annonça les résultats du concours de sciences politiques des terminales avec un enthousiasme forcé.

— M'énerve, ce boute-en-train. Elle en fait trop, j'ai envie de l'étrangler, commenta Tina.

— Moi aussi, admit distraitement Artie.

Il regrettait de ne pas avoir complimenté son amie sur son T-shirt dès qu'il l'avait vue : elle portait un haut portant l'inscription : « Je suis grognon aujourd'hui. » Il avait été arrêté par une crainte : celle de passer pour un type qui lui lorgnait la poitrine. À présent, c'était sans doute un peu tard pour le lui dire…

« Et maintenant, je voudrais vous faire part du scandale qui se déroule ici même à McKinley », continua Rachel.

Artie et Tina échangèrent un coup d'œil inquiet. Elle déraillait complètement…

« Les élèves que leur devoir de citoyen appelle aux urnes pour élire le roi et la reine ont probablement été profondément choqués par certaines pratiques des pom-pom girls : elles n'ont pas hésité à leur faire payer le droit de vote ! »

Quelques-uns se mirent à glousser.

« Comme le savent ceux qui suivent le cours d'histoire de M. Hillburger, le XXIVe amendement de la Constitution interdit à quiconque de demander de l'argent en échange de ce droit. Cette loi étant valable pour tous les citoyens américains, ça l'est aussi pour nous, élèves de ce lycée. Un tel événement se serait produit en Iran, CNN en aurait immédiatement fait ses gros titres. En revanche, ici, tout le monde accourt pour donner ses billets à de jolies bécasses blondes. »

— Elle est folle ou quoi ? souffla Artie. Elle se croit vraiment sur CNN, ma parole !

— Elle doit avoir un pro… problème psychologique, c'est pas possible, lui accorda Tina. Peut-être même mental.

Rachel continuait ses provocations :

« En conséquence, je vous demande de boycotter l'élection en signe de protestation. Je suis sûre que…

— Pour qui te prends-tu ? » l'interrompit une voix tonitruante.

Tout le monde reconnut Sue Sylvester, l'entraîneuse mythique des Cheerios. Impitoyable, elle ne faisait jamais de concessions et n'hésitait pas à virer de son équipe les filles qui pleuraient en public.

« Qu'est-ce que c'est que ce délire ! Comment oses-tu remettre en question les pratiques de cette école ? Petite pimbêche ! »

— On va bien s'amuser… murmura Artie à Tina.

La classe entière se penchait en avant, l'oreille tendue vers les haut-parleurs, pour ne pas perdre une miette de la conversation. La plupart des élèves savaient pertinemment qu'il fallait toujours éviter de tenir tête à Sue Sylvester. Mais pas Rachel.

— Dommage qu'on n'ait pas l'image ! regretta Tina.

Pourtant, elle redoutait secrètement que les autres suivent les recommandations de Rachel et boycottent l'élection, voire même la danse. Elle espérait en effet qu'Artie lui proposerait de l'accompagner… même si elle ne se faisait pas beaucoup d'illusions, car il détestait ce genre de manifestations. Participer au bal du lycée était sans doute la dernière chose qu'il souhaitait. Elle gardait quand même un tout petit espoir…

« Faire payer le droit de vote est immoral et… s'obstina Rachel d'un ton un peu nerveux.

— Je vais te dire ce qui est immoral, moi, la coupa l'entraîneuse. C'est d'empêcher mes Cheerios de récolter des fonds pour leurs séances de bronzage. La différence entre mes athlètes et toi, c'est qu'elles se donnent les moyens d'atteindre la perfection, alors que toi, espèce de gamine frustrée, tu ne risques pas d'y arriver en te la jouant solo. »

Un immense éclat de rire résonna dans la classe.

— Rachel est encore plus tarée que je le pensais : défier Sue Sylvester, quelle idée ! commenta Artie.

— Elle n'est peut-être pas si cinglée que ça, finalement... répliqua Tina avec un sourire songeur, la tête tournée vers la fenêtre ouverte.

Il faisait beau, et une odeur d'herbe fraîchement coupée lui parvint. Et si Glee avait juste besoin de quelqu'un de vraiment combatif ?

— Il faut tenir le coup, au moins jusqu'à vendredi, ajouta-t-elle.

Elle espérait encore vaguement que le groupe ferait une bonne impression le jour J. C'était sans doute une pure illusion...

— On saura enfin, une bonne fois pour toutes, si nous sommes foutus ou non.

— Croisons les doigts... dit Artie en se renfonçant dans sa chaise, tandis que Rachel continuait à se quereller avec l'entraîneuse.

Il n'imaginait pas l'existence sans la chorale : il avait besoin de Tina et du chant pour faire oublier qu'il était « le type dans une chaise roulante ». Grâce à sa voix grave de baryton avec laquelle il interprétait avec talent la chanson « OMG », du groupe Usher, il avait trouvé sa place quelque part. Dans ces moments-là, son handicap passait inaperçu.

— Le groupe est toute ma vie, conclut-il en plongeant ses yeux foncés dans ceux de Tina.

Puis il retourna à sa liste de verbes espagnols. Tina avait rougi aux derniers mots d'Artie : il venait d'exprimer le fond de sa pensée.

— Je… je… commença-t-elle laborieusement. Je ressens exactement la même chose.

— Si Rachel est bien la personne qu'il nous faut, reprit Artie, alors je suis prêt à faire un effort et à passer sur son sale caractère.

« … je vais finir en musique pour fêter cette journée, lança la voix de Rachel. »

Contre toute attente, Rachel s'était débarrassée de son adversaire : Sue Sylvester avait quitté la pièce furibonde, en jurant probablement de lui régler son compte à elle et à toute sa famille. Soulagée, Rachel s'était mise à chanter avec assurance le refrain d'un vieux tube des Rolling Stones, « Ruby Tuesday ».

M. Schuester, qui enseignait depuis dix ans dans ce lycée médiocre du fin fond de l'Ohio, se plongeait systématiquement dans ses pensées quand un de ses élèves se mettait à déblatérer. Ce matin-là, songeant à ce que serait sa vie à la direction d'un Bed&Breakfast à Bali, il n'avait quasiment pas écouté le discours de Rachel.

Tous les professeurs rêvaient de ce genre d'élève. Pourtant, en trouver un spécimen en chair et en os dans sa classe se révélait une tout autre histoire. L'année précédente, Rachel avait levé la main si souvent qu'il avait dû orienter son bureau différemment pour ne plus l'avoir dans son champ de vision. Son enthousiasme pouvait aussi bien réjouir qu'énerver.

Pourtant, aux premières notes, il tendit l'oreille. En dépit du grésillement que produisait le micro et de la mauvaise acoustique, le talent de la jeune fille ne faisait aucun doute. Sa voix lui rappela les temps glorieux de sa jeunesse où la chorale foisonnait de prodiges capables de stupéfier toute l'école. Lui-même était considéré comme l'un des meilleurs et pouvait s'enorgueillir d'avoir fait battre le cœur de quelques groupies. Pourtant, c'était au doigt de Terri, une pompom girl, qu'il avait passé la bague.

« À demain ! conclut joyeusement Rachel. Et n'oubliez pas : surtout, ne votez pas ! »

M. Schuester se leva, souriant. Il contempla sa classe : les uns mordillaient leurs crayons d'un air d'ennui, les autres écrivaient des textos sous leur table comme si de rien n'était. Il avait prévu de leur faire étudier la conjugaison de certains verbes. Tout d'un coup, il se ravisa pour leur proposer quelque chose de plus amusant :

— Qu'est-ce que vous diriez d'apprendre l'espagnol sur « Guantanamera » ?

Il se croyait revenu à l'époque joyeuse où lui et les membres de Glee chantaient à en perdre haleine. C'était le bon vieux temps…

Tous s'échangèrent des coups d'œil ahuris, pensant à une blague.

— C'est une chanson ? demanda quelqu'un.

— Oui, et la plus célèbre de Cuba.

Il s'éclaircit la voix pour se lancer. Les élèves se mirent d'abord à ricaner, l'air de penser qu'il déraillait, mais au bout d'un moment, ils se balancèrent sur leur siège, incapables de résister au rythme de la mélodie. Quelques pom-pom girls, au fond, tapèrent même dans leurs mains. Prenant de l'assurance, le professeur se permit alors quelques pas de salsa, au grand amusement des spectateurs. Il avait oublié combien danser pouvait être grisant, même si Terri prétendait que cela donnait le lupus, une maladie dont certains membres de sa famille souffraient. L'ensemble des élèves arboraient un grand sourire.

M. Schuester les imita. C'était comme une nouvelle jeunesse! Il avait retrouvé l'entrain de ses premières années d'enseignement!

Mardi après-midi, terrain de football

À la seconde où la cloche sonna la fin des cours, la plupart des lycéens se précipitèrent vers les terrains de sport situés derrière l'établissement. Filles et garçons, vêtus de shorts et de T-shirts marqués au nom de l'école, se mirent à faire de l'endurance autour des pelouses et dans les rues avoisinantes. Sur les espaces réservés à la pratique du football, des gamins se bousculaient en vociférant pour attraper le ballon. L'équipe officielle occupait quant à elle le terrain central, tandis que les Cheerios s'exerçaient au fond. Il faisait chaud pour la saison, si bien qu'un bon nombre de sportifs se mouvaient un peu plus mollement que d'habitude. Ainsi, les joggers étaient plus absorbés par la gent de l'autre sexe que par leur exercice. Seules les pom-pom girls, sous la coupe sévère de Sue Sylvester, s'activaient avec entrain.

Les footballeurs, gênés par leur équipement encombrant, n'apparaissaient pas comme les plus dynamiques. Beaucoup profitaient d'un moment d'inattention de leur entraîneur, M. Tanaka, pour se reposer. À ce moment précis, il s'occupait de Daniel Duffer, le botteur, qui, sur les vingt-trois ballons tirés, en avait envoyé un seul entre les poteaux. Pendant ce temps, ses coéquipiers étaient censés s'entraîner, ce qu'ils faisaient laborieusement, car la chaleur les empêchait de se concentrer.

Ou bien était-ce les Cheerios, qui se surpassaient de l'autre côté. Leurs voix aiguës répétaient les ordres de Sue Sylvester sans que les garçons puissent en saisir le sens. Elles exécutaient à merveille leurs figures habituelles : avec leurs queues-de-cheval battant l'air, on aurait dit des oiseaux. Finn les comparait mentalement à des passereaux agiles, prêts à s'envoler dans le ciel ensoleillé de septembre. Il passa le ballon à Puck, mais celui-ci, trop absorbé par les filles, oublia de le lui renvoyer.

— Elles sont canons, hein, mon pote ? demanda-t-il enfin en donnant un coup de poing dans l'épaulière de Finn.

C'étaient des amis de longue date. Ils s'étaient connus en disputant un match dans des équipes adverses : Finn avait reçu une balle en pleine tête, tirée par Puck, lequel s'était justifié en l'accusant d'avoir enfreint les règles. Celui-ci s'était alors jeté sur lui pour lui mettre une raclée. Puis sa mère les avait emmenés manger une glace, et tout avait été oublié.

— Quelle cruauté ! Être obligés de nous entraîner alors qu'elles exhibent leur petite culotte sous notre nez !

— C'est vrai qu'elles sont belles, admit Finn.

Leur attention se porta plus particulièrement sur Quinn, qui se préparait à réaliser une figure. Ils retinrent leur souffle en la voyant courir pour exécuter un enchaînement impressionnant de perfection : un double flip suivi d'un salto digne d'une athlète des jeux Olympiques. Elle atterrit en douceur, la queue-de-cheval vibrant à peine, pour retourner à sa place. Tout ceci sans laisser perler une seule goutte de sueur. D'ailleurs, est-ce que les filles transpiraient ? Finn n'avait jamais remarqué la moindre odeur suspecte après leurs entraînements. Quinn, plus que toute autre, devait toujours sentir bon.

— Elle te plaît, hein ? lança Puck en retirant son casque. Vous sortez ensemble ?

— Pas encore, mais ça devrait pas tarder, répondit Finn en s'épongeant le front d'une main moite.

Il ne savait pas précisément pourquoi Quinn s'intéressait à lui. Peu importait, d'ailleurs, l'essentiel étant qu'elle l'avait invité à son club. Lui, l'avait toujours trouvée mignonne sans oser faire le premier pas. Depuis qu'elle lui avait manifesté sa préférence, il ne pouvait pas ignorer ses avances. Personne ne refuserait de devenir le petit ami de Quinn Fabray.

— En fait, je l'accompagne au club de chasteté, continua Finn.

— Au club de quoi ? s'étrangla Puck en ouvrant grand les yeux.

— De chasteté.

La participation de Quinn à ce groupe avait en effet de quoi surprendre. Elle inspirait tout sauf l'amour platonique. Et quand elle se mettait à parler, sa voix douce et chaude faisait monter d'un cran la température, même si c'était pour balancer des vacheries. Comme la fois où elle s'était pris le bec avec Rachel, puis avec sa copine Brittany. Sans parler de ce pauvre type que Puck et les footballeurs jetaient régulièrement dans la benne à ordures. Elle se mettait souvent en colère, d'ailleurs, ce qui n'était pas trop du goût de Finn.

Mais il lui suffisait de penser au contact de sa main sur son bras pour être parcouru de frissons. Voilà bien la preuve qu'il n'était pas indifférent. Sans doute l'aimait-il bien… Enfin, peut-être. Il se l'avouait difficilement en tout cas. Puck devait être le dixième à l'interroger à propos de Quinn : ça tournait au harcèlement. Il se sentait obligé, maintenant, de la prendre pour cavalière au prochain bal. Sinon, les autres élèves se poseraient des questions sur lui. Ou alors sur elle.

— Fais gaffe à ce genre de coincées, répliqua son ami sans quitter des yeux Quinn, qui escaladait la pyramide de pom-pom girls. Elles jouent les saintes-nitouches, mais en réalité, ce sont de vraies tigresses.

Puck n'admettait pas que la jeune fille ait jeté son dévolu sur Finn. Tout ça parce qu'il était quarterback. Qu'est-ce que ce poste valait dans une équipe aussi nulle ? C'était d'autant plus injuste que Finn ne semblait pas apprécier la belle plus que ça. Alors que Puck, lui, crevait d'envie de sortir avec.

L'année précédente, en dépit du sex-appeal indéniable de l'adolescente, il avait à peine fait attention à elle : les prudes ne l'intéressaient pas. Mais maintenant qu'elle était assise devant lui en cours de bio, il ne quittait pas des yeux la bretelle rose pâle de son soutien-gorge, qui apparaissait à chaque mouvement de bras. Il n'avait pourtant pas l'habitude de s'émouvoir à la vue d'un dessous féminin. Il avait passé son été à se faire de l'argent de poche en nettoyant les piscines de voisines d'âge mûr. Ses tablettes de chocolat et sa crête iroquoise n'avaient pas laissé ses clientes indifférentes. Certaines l'avaient même récompensé en lui dévoilant leurs sous-vêtements affriolants.

Comment expliquer, alors, que la bretelle de Quinn ne lui sortait pas de l'esprit ? Le fin ruban sur l'épaule bronzée de l'adolescente le laissait tout chose. Il était obsédé par ce détail, au point qu'il pouvait surgir dans sa tête n'importe quand : en plein match de foot, ou quand il mangeait une pizza, ou même lorsqu'il balançait un granité à la figure d'un loser. L'odeur de son shampoing à la fraise ne le quittait pas non plus.

— Ça m'étonnerait qu'elle soit comme tu dis, reprit Finn, l'un air un peu vexé.

Il attrapa le ballon pour le lancer. À l'autre bout du terrain, Sue Sylvester venait de souffler dans son sifflet, furieuse de voir Brittany et Santana aider Quinn à descendre de leurs épaules.

— Bande de paresseuses ! C'est ce que vous appelez une pyramide ? Vous avez à peine tenu trois secondes ! Si vous croyez avoir fait du bon boulot, vous vous fourrez le doigt dans l'œil ! C'est trop difficile ? Essayez un peu de vous opérer vous-mêmes les paupières au laser, et vous comprendrez ce que « difficile » veut dire !

Elle donna en revanche une petite tape amicale à Quinn.

— Bien joué. Si ces imbéciles n'avaient pas tout fichu en l'air, ça aurait été parfait.

— Merci, répliqua l'adolescente en se dirigeant vers un banc, Santana sur les talons.

Elle saisit une bouteille pour en boire l'eau tiède. Tout au long de l'entraînement, elle avait senti des regards posés sur elle, et à présent, elle pouvait constater que Finn et Puck la dévoraient effectivement des yeux. C'était toujours agréable de se découvrir le point de mire des deux beaux gosses du lycée. Son père n'avait jamais cessé de la traiter en princesse : elle n'était pas étonnée d'attirer l'attention des garçons. Pour entretenir cette admiration, elle s'efforçait toujours de se tenir bien droite, d'offrir son plus joli sourire et d'exécuter parfaitement ses acrobaties.

— Puck n'a pas arrêté de me mater, se vanta Santana.

Elle adressa aussitôt un petit signe au garçon, avec un déhanchement aguicheur.

« T'es bigleuse, ou quoi ? pensa Quinn. C'est moi qu'il regarde ! »

Elle se contenta pourtant d'émettre un « hum » dubitatif. Après tout, son amie avait peut-être raison. Comment être sûre qu'il la contemplait, elle ? Santana était jolie, et c'était une fille facile. L'année précédente, elle avait remporté l'exploit de sortir avec six types. Et Puck était connu pour changer de petite amie toutes les semaines ; il les larguait en général pour mettre le grappin sur leur meilleure copine.

D'ailleurs, Quinn se fichait de Puck. Il faisait partie de ces mecs qui séchaient les cours et répondaient aux profs. Bref, il se moquait éperdument de moisir dans ce trou le reste de son existence. Quinn l'imaginait sans difficulté dix ans plus tard : viré de la fac locale, il finirait sa vie vautré sur le canapé de sa mère à boire des bières. C'était un loser de première catégorie.

De toute façon, elle avait Finn. Une bien meilleure cible. Peut-être pas le plus intelligent, mais grand et beau. C'était largement suffisant !

— Je suis sûre qu'il va me proposer de m'accompagner au bal, s'enthousiasma Santana en ajustant les bretelles de son soutien-gorge pour remonter sa poitrine.

— Qui ça ?

— Puck, évidemment ! Figure-toi qu'il m'a demandé s'il pouvait recopier mon devoir de maths, ce matin !

— Ah, bon ?

Quinn saisit sa cheville pour tirer sa jambe vers l'arrière, talon contre les fesses, la tête tournée vers les gradins afin d'échapper au regard de Santana. Tout près, la fanfare répétait pour le match de foot prochain. À la pensée de Puck enlaçant la taille de Santana pour l'entraîner dans un slow langoureux, Quinn eut un pincement au cœur.

— Absolument ! insista Santana. Qu'est-ce que t'as ? T'as l'air bizarre !

— Je crève de soif, mentit Quinn en lâchant sa jambe pour attraper sa bouteille d'eau.

Santana lui posa la main sur l'épaule.

— Tu sais, je suis sûre que Finn va t'inviter. Ça fait au moins une heure qu'il te contemple ! Vous allez faire un super beau couple !

— Ça, c'est sûr ! admit Quinn.

Elle s'imaginait la scène : Finn viendrait la chercher chez elle, avec son sourire un peu niais et, à sa boutonnière, une fleur qui n'irait pas avec son costume.

— On va très bien ensemble, conclut-elle.

Les filles durent reprendre l'entraînement.

Enfin, Sue Sylvester siffla à trois reprises pour signaler la fin de la séance. Quinn se retint de jeter un coup d'œil aux garçons qui se dirigeaient vers les vestiaires. Et lorsque Santana s'élança vers Puck en faisant virevolter sa queue-de-cheval, elle se mordit l'intérieur des joues pour résister à l'envie de courir lui couper la route. C'était ridicule, de toute façon. Qu'est-ce qui lui prenait tout d'un coup avec ce type ? Ça devait être son côté « bad boy » qui l'attirait... Elle était vraiment tombée sur la tête !

Elle rangea tranquillement ses affaires, satisfaite de s'être encore une fois surpassée à l'entraînement. L'effort avait été si rude que ses jambes la portaient difficilement. Ses épaules la faisaient agréablement souffrir. Elle adorait les douleurs que lui procurait l'exercice physique.

Les autres pom-pom girls avaient toutes disparu pour se changer et les terrains de sport autour d'elle s'étaient complètement vidés. Enfin seule ! On aurait entendu une mouche voler.

La jeune fille jeta son sac sur l'épaule et longea les gradins en s'efforçant de ne pas penser à Santana, qui, à ce moment précis, devait être en train d'aguicher Puck.

Soudain, quelqu'un la tira en arrière pour l'entraîner sous les gradins, là où les terminales se cachaient pour tripoter leurs copines pendant les matchs. Elle poussa un cri aigu. Des mains puissantes la firent pivoter, et elle découvrit son assaillant : Puck !

Elle écarquilla ses yeux noisette. Son estomac se noua comme la fois où elle s'était retrouvée en haut des montagnes russes, prête à dévaler une pente vertigineuse.

— Qu'est-ce que tu fabriques ? s'indigna-t-elle.

Dans l'empoignade, son sac était tombé dans l'herbe.

— Ce que j'ai envie de faire depuis un bon bout de temps… Ça…

Il la coinça contre la structure en métal et, avant qu'elle ait pu émettre la moindre objection, il l'embrassa. Ses lèvres chaudes et salées se révélèrent étonnamment douces. Une tiédeur délicieuse envahit Quinn, gagnant d'abord ses doigts pour se propager jusqu'à la pointe de ses orteils. Une poussée d'adrénaline explosa en elle : c'était maintenant la descente à pic sur les rails des montagnes russes !

Tout d'un coup, elle repoussa le garçon avec force pour reprendre son souffle. Elle devait absolument se calmer. Enfin, elle tira sur sa jupe. La sensualité de Puck était pourtant irrésistible. Il faut dire que son dernier petit copain, Andrew Atkinson, embrassait comme un pied, du genre crapaud baveux.

— Je t'ai donné la permission, peut-être ? lança Quinn d'un air bravache.

— Parfaitement, répliqua Puck d'un ton assuré.

Il sentait la sueur mais, curieusement, chez lui, c'était plutôt agréable.

— T'as pas arrêté de me mater tout à l'heure. Santana a failli tout faire louper. Elle n'a pas cessé de me tourner autour.

Quinn crut qu'elle allait tomber dans les pommes. Elle devait rêver !

— Alors, ce n'était pas elle qui t'intéressait ? demanda-t-elle en croisant les bras sur sa poitrine.

— Tu sais très bien que j'ai un faible pour toi, répondit-il en effleurant son bras du bout du doigt.

Elle en eut la chair de poule.

— Et avoue-le, Quinn. Toi aussi.

Elle s'apprêtait à lui répliquer qu'elle le trouvait pathétique. Mais la pensée de son délicieux baiser l'arrêta net. Ce fut plus fort qu'elle : elle se pencha vers lui, attirée comme un aimant par sa bouche, qui s'ouvrit avec empressement.

« Waouh ! pensa-t-elle en s'adossant à la structure métallique, les bras de Puck autour de sa taille. Quel dieu ! » Son corps avait pris le dessus sur sa volonté. Elle avait du mal à croire que c'étaient bien ses mains qui se promenaient furieusement sur le T-shirt mouillé de Puck et sur sa crête. Elle s'était toujours demandé, d'ailleurs, quel effet ça faisait de toucher ses cheveux. Curieusement, le garçon lui donnait l'impression d'un chewing-gum aux fruits exotiques. Elle aimait tellement ce parfum qu'elle n'arrivait jamais à garder le bonbon plus de quelques secondes dans la bouche : elle l'avalait systématiquement. C'était la même chose pour Puck. Elle n'avait qu'une envie : l'engloutir.

— Attends ! s'écria Quinn en se dégageant de nouveau brutalement, si bien que le garçon faillit perdre l'équilibre. Il est quelle heure ? Je dois aller au club de chasteté. C'est moi la présidente.

— Tu t'en fous ! N'y va pas.

Puck essaya de l'attirer vers lui. Quinn hésitait : d'un côté, elle mourait d'envie de rester cachée là et de continuer à embrasser ce garçon si doué pour les baisers. De l'autre, elle devait absolument redescendre sur terre pour retourner à ses responsabilités.

— Impossible, objecta-t-elle en se libérant.

Il se rapprocha encore. Comme c'était dur de lui résister ! Mais il le fallait.

— De toute façon, j'ai invité Finn à sortir avec moi après la réunion.

Puck fit un pas en arrière.

— Tu ne vas pas... commença-t-il d'une voix qui avait perdu toute assurance.

— Désolée, j'ai pas le temps. Faut que j'y aille.

Elle ramassa son sac et s'enfuit vers l'école, laissant Puck médusé.

Son père avait beau la traiter comme une princesse, c'était la première fois qu'elle avait l'impression de se retrouver dans la peau de Cendrillon, au moment où l'héroïne de conte de fées quitte le bal précipitamment, laissant son prince interloqué.

Mardi soir, hall d'entrée du lycée

Finn Hudson, les cheveux humides, descendait tranquillement l'escalier menant au hall d'entrée. Il appréciait toujours le moment qui suivait l'entraînement : après une bonne douche, il se sentait comme neuf.

Même en dehors du terrain de football, il répétait continuellement les gestes enseignés par son coach, notamment en jetant le bras en arrière pour lancer un ballon imaginaire à son ailier. Ce rituel lui était nécessaire pour se préparer mentalement.

Il aimait le foot, mais pas pour les mêmes raisons qu'avant : au début, c'était surtout pour l'admiration que lui portaient les filles lorsqu'il apparaissait dans son attirail de sportif. Il y en avait toujours pour l'attendre à la sortie des vestiaires, même quand son équipe avait lamentablement perdu un match. C'était chouette! Mais maintenant, il était davantage obsédé par le sport lui-même. Les quelques fois où il faisait ses devoirs, il travaillait debout pour pouvoir en même temps se muscler les mollets et les cuisses. Et il mettait bien davantage d'énergie sur le terrain, où il était toujours le premier arrivé. S'il s'entraînait si dur, c'était dans l'espoir qu'un jour on lui proposerait une bourse pour poursuivre ses études dans un établissement renommé. En fait, peu lui importait l'école, tant qu'elle se trouvait ailleurs qu'à Lima. Car il n'avait qu'une idée en tête : fuir ce patelin.

— Alors, Finn, t'es prêt pour le match du week-end prochain ? lança Santana, dans sa tenue courte de pom-pom girl.

Elle passa si près de lui que ses longs cheveux bruns lui effleurèrent le bras.

— Euh... oui, je crois.

Ils se dirigèrent ensemble vers le hall, accompagnés par les couinements des chaussures de la jeune fille.

— Quinn m'a dit que tu venais au club de chasteté. C'est ta première fois ?

Sa question sonna bizarrement aux oreilles de Finn. Ce genre de formulations n'était-il pas utilisé à propos de pratiques qu'interdisait justement ce club ?

— Oui, c'est la première fois que j'y vais.

— Cool !

Il suivit la jeune fille jusqu'à la salle 212, sans quitter des yeux sa jupe qui virevoltait sous le roulement de ses hanches. Elle n'était pas aussi belle que Quinn, mais Finn la trouvait rudement bien fichue. La gent féminine – en particulier son anatomie – représentait sa seconde obsession après le football. Il doutait malheureusement que ce genre de sujets soit toléré au club de chasteté.

— Les filles d'un côté, les garçons de l'autre, ordonna Santana en sautant sur une table. On doit attendre que Quinn arrive pour commencer.

Finn eut un moment d'appréhension : il examina la pièce à la recherche des cheveux blonds et soyeux de la présidente. Elle n'était nulle part. Seule l'idée qu'il la retrouverait ensuite en tête à tête – et qu'elle le laisserait peut-être l'embrasser – le réconfortait. Sans elle, il n'aurait pas le courage de supporter cette réunion. Il ne comptait pas se coltiner pendant une heure ces Cheerios, que Quinn avait d'ailleurs dû forcer à venir. Sans compter ces pauvres types aux idées tordues qui croyaient évidemment que faire partie de ce club les aiderait à conclure. Quelques filles mal sapées venaient compléter le tableau. Leur accoutrement semblait trahir leur haine des hommes.

Finn sentit la migraine s'installer. La salle était une vraie fournaise, et puis il ne voyait vraiment pas ce qu'il trouverait à dire aux mecs qui l'entouraient. Ses yeux se portèrent sur une affiche représentant Peggy la cochonne et Kermit la grenouille en mariés. En dessous, une inscription se détachait : *Ça vaut la peine d'attendre !*

— Peut-être que Quinn a un problème, suggéra timidement une Cheerio en se tournant vers Finn. Elle n'est jamais en retard.

— J'en sais rien, répondit Finn en jetant un coup d'œil vers la porte.

Une chose était sûre : pas question de rester si elle ne pointait pas le bout de son nez. D'ailleurs, il venait de trouver l'excuse parfaite pour s'éclipser.

— Je vais voir ce qu'elle fabrique.

Il disparut aussitôt, trop heureux de pouvoir grappiller quelques minutes de liberté.

Après avoir cherché Quinn quelques instants, sans grande conviction, à travers les couloirs déserts, il s'arrêta devant la fontaine, tout près de l'auditorium. Le chewing-gum qui y flottait ne le rebuta pas : il se pencha pour boire. Au moment où le jet d'eau jaillit, quelqu'un se mit à chanter. Une voix incroyable. Finn en fut si surpris qu'il oublia d'ouvrir la bouche pour avaler le liquide, lequel lui aspergea le visage.

Il se redressa, s'essuya les joues et se dirigea vers l'auditorium. Par la porte ouverte, il découvrit l'artiste : une fille sur la scène interprétait une vieille chanson. Comme c'était beau !

Il n'en parlait pas volontiers, mais Finn adorait chanter. Il profitait de n'importe quelle occasion pour s'adonner à ce plaisir, le plus souvent sous la douche, parfois même dans les vestiaires quand il n'y avait pas trop de monde. Il avait pris l'habitude d'interpréter à pleins poumons un des tubes de Bruce Springsteen en se shampouinant la tête et d'enchaîner avec Air Supply quand il passait au rinçage. C'était un excellent moyen d'oublier ses muscles endoloris et les coups reçus. Le football s'avérait un sport tellement violent que, parfois, il avait l'impression d'être à bord d'une autotamponneuse. Chanter lui procurait des sensations complètement différentes !

L'interprète possédait une si belle voix, si pleine d'assurance, qu'on l'aurait crue sortie d'un CD. Finn franchit le seuil pour s'approcher discrètement, à la faveur de l'ombre. Là, il reconnut enfin la chanteuse. Rachel Berry!

Ça alors! C'était cette fille toujours assise au premier rang en cours d'histoire : une miss je-sais-tout qui s'empressait de répondre aux questions du prof d'un air indigné, comme pour lui faire honte de poser des questions aussi bêtes. Les coéquipiers de Finn passaient leur temps à lui lancer des boulettes de papier. Le but : qu'elles restent logées dans sa chevelure. Elle portait de grandes chaussettes, un gilet et une jupe écossaise. Bref, le genre de tenue en vigueur dans les écoles privées, où tout le monde semblait se moquer de la mode.

Pourtant, la Rachel qui chantait ne ressemblait pas du tout à celle du cours d'histoire. Finn se rappelait bien l'avoir entendue lors des annonces du matin : elle avait une belle voix, certes, mais le show auquel il assistait là surpassait de loin tout ce qu'il pouvait imaginer. Il ne quittait pas des yeux la silhouette qui se mouvait sur la scène : elle mettait autant d'âme dans ses paroles que si elle s'adressait à un parterre de fans fascinés. On aurait vraiment dit une star interprétant le concert de sa vie. Peut-être y avait-il effectivement des spectateurs dans la salle? Mais Finn eut beau inspecter l'auditorium dans ses moindres recoins, il ne vit personne.

Qu'est-ce qu'elle lui paraissait belle, tout d'un coup!

— *What you are, what you do, what you say*… chantait-elle en déployant la main vers un public imaginaire.

Finn suivit du regard ses doigts tendus avec l'envie irrépressible de les saisir. Sa voix puissante vibrait au plus profond de son être, et il sentit tout d'un coup son cœur chavirer.

Qu'est-ce qui lui prenait ? Est-ce qu'il était en train de tomber amoureux ? Lui, amoureux de Rachel Berry ?

Elle s'arrêta soudain, et Finn crut entendre sa dernière note résonner dans le silence de l'auditorium, comme suspendue. Elle murmurait des paroles inaudibles, commentant probablement sa prestation. Le quarterback fit un effort pour sortir de son état extatique : il avait de nouveau sous les yeux l'élève modèle qui connaissait toutes les réponses aux questions du prof.

Rachel contempla les rangées vides devant elle en fredonnant. Elle s'était surpassée, une nouvelle fois ! Rien d'étonnant à cela, d'ailleurs : elle avait su chanter avant même d'avoir appris à parler. Lorsqu'elle vocalisait, il lui suffisait de fermer les yeux pour oublier l'auditorium vide du lycée et se transporter ailleurs. En général, c'était sur la scène d'un prestigieux théâtre de Broadway : des milliers d'hommes et de femmes l'écoutaient avec ravissement, gagnés peu à peu par les larmes, y compris la gent masculine. Dehors, sur l'affiche principale, son nom se détachait en lettres énormes.

Pour accéder à son rêve, elle devait sérieusement s'atteler à la tâche. Première étape : transformer le groupe Glee en une chorale digne de ce nom. Il fallait redorer son blason afin que les élèves partis rejoindre l'équipe de pom-pom girls ou le club de maths révisent leur opinion. Ce n'était pas une mince affaire…

Elle rouvrit les yeux. Finn Hudson se tenait près des escaliers, à droite de la scène et la regardait.

Son cœur se mit à battre la chamade. Depuis combien de temps était-il là ? Ses larges épaules, ses yeux rêveurs et son grain de beauté sur la joue gauche avaient toujours fait fantasmer la jeune fille. C'était vraiment elle qu'il contemplait ainsi ? Il n'avait jamais eu l'air de lui prêter la moindre attention. Elle avait même toujours eu l'impression d'être parfaitement invisible à ses yeux. À présent, il la dévisageait avec stupéfaction, visiblement impressionné.

— Salut, Finn.

Elle commença à s'avancer vers les escaliers pour se retrouver à sa hauteur.

— Qu'est-ce que tu fais là ? continua-t-elle.

Le sac à dos du garçon alla heurter une batterie, dans l'orchestre.

— Heu… j'étais au club de chasteté, et heu… je t'ai entendue chanter de l'extérieur… expliqua-t-il en pointant le doigt vers la porte.

— Ah ?

Rachel lissa sa jupe rose et blanche d'un air gauche. Finn Hudson en personne daignait lui parler ! Son cœur battait de plus en plus vite. Elle aurait été plus à l'aise devant des milliers de spectateurs que face à Finn. Mais elle ne se faisait aucune illusion : il était sans doute entré pour lui demander de baisser d'un ton.

— J'ai fini, maintenant. Désolée de t'avoir dérangé.

— Non, c'est pas ce que je voulais dire : la réunion n'a pas encore commencé, répliqua-t-il en sautant d'un pied sur l'autre.

Il leva enfin des yeux timides vers Rachel.

— Je n'ai pas pu m'empêcher d'écouter, reprit-il. Tu as une voix incroyable !

— Ah, tu trouves ? souffla-t-elle, soulagée. Eh bien, merci. En fait, tu n'es pas le premier à me le faire remarquer, ajouta-t-elle en retrouvant son aplomb.

Elle descendit lentement les marches pour se rapprocher de lui. Elle n'aurait probablement plus la chance de le voir de si près : il était tellement accaparé par le foot et l'entretien de sa cote de popularité qu'il ne perdait pas de temps à discuter avec des losers comme Rachel. Elle devait profiter de cette occasion pour découvrir la couleur exacte de ses yeux. Elle s'était toujours demandé s'ils étaient marron ou carrément noirs.

Même si ça lui semblait étrange de parler à cette fille, Finn n'avait pas envie d'arrêter la conversation.

— Tu es tellement à l'aise sur cette scène ! C'est dingue d'avoir autant d'assurance ! Moi, j'en serais incapable !

Rachel planta son regard dans le sien, essayant de déterminer la teinte de son iris de là où elle se trouvait. Elle n'osait pas continuer sa descente, de peur qu'il ne s'aperçoive de leur impressionnante différence de taille. Et si son mètre cinquante l'éliminait définitivement de sa liste de prétendantes ? Elle pouvait toujours rêver : peut-être qu'un jour il serait lassé de sortir avec les mêmes Barbie et déciderait de se montrer plus ambitieux.

— Peut-être pas. Tout le monde a les yeux rivés sur toi pendant les matchs. Tu pourrais très bien trouver le cran de monter sur une scène.

— Je n'ai pas beaucoup la pression au foot, tu sais. Tout le monde s'attend à ce qu'on perde à chaque fois. Et puis, on ne peut pas comparer un terrain de sport à une scène.

Quoique… ils éclairent aussi la pelouse avec des spots comme ceux-là, admit-il en levant la tête vers la lumière aveuglante des projecteurs.

Rachel ne put s'empêcher de poser le pied sur la marche suivante. De là, elle capta l'odeur de son savon. Elle essaya de se le représenter dans les vestiaires avec les autres footballeurs. Comment pouvaient-ils supporter de prendre leur douche ensemble ?

— Alors, t'es prêt pour le match ?

Le garçon fit la moue.

— J'imagine que la réponse est non… interpréta Rachel, agréablement surprise par la longueur de leur discussion.

Ils avaient bien dû échanger une centaine de mots.

— C'est pas ça. À vrai dire, j'en ai un peu marre de parler tout le temps de foot.

La plupart des gens l'associaient systématiquement à ce sport. Il détestait ça ! Si on pouvait enfin le regarder autrement que comme le quarterback ! Il avait d'autres centres d'intérêt, après tout. Et s'il consacrait autant d'énergie à cette discipline, c'était uniquement pour obtenir une bourse.

— Franchement, continua-t-il, j'aimerais bien faire mes preuves dans un autre domaine. M'impliquer dans quelque chose de vraiment passionnant. Comme toi, avec la musique.

Rachel feignit d'être blasée, mais elle ne put s'empêcher de rougir. Les compliments pleuvaient rarement à son égard, et elle les accueillait toujours avec plaisir. Venant de Finn, c'était carrément l'apothéose !

— J'étais en train de répéter pour le concert de vendredi. Le groupe se réunit tous les jours après les cours dans la salle de musique, mais l'acoustique est meilleure ici…

Finn inclina légèrement la tête, et son regard se retrouva en pleine lumière. Rachel put enfin plonger au cœur de ses yeux pour en percer le mystère : ils étaient marron, rayés de quelques stries vertes.

Elle chercha quelque chose pour alimenter le dialogue, mais les mots lui manquèrent. Il la regardait d'une façon si singulière ! Elle en était troublée.

— Finn ! Qu'est-ce que tu fais là ? retentit soudain la voix de Quinn.

Elle se tenait sur le seuil, un sweat à capuche tombant sur sa jupe courte de pom-pom girl.

— Je croyais que tu devais m'accompagner au club de chasteté, continua-t-elle en adressant un regard assassin à Rachel.

— Heu… oui, c'est vrai, admit Finn qui piqua un fard.

Il lança un coup d'œil à Rachel. Quinn avait peut-être tout entendu… La situation lui sembla soudain très embarrassante. Il aurait voulu disparaître sous terre.

— On y va, maintenant, ordonna Quinn en s'avançant pour lui saisir le bras. On est déjà en retard.

Les yeux de Finn tombèrent sur ses ongles soigneusement manucurés. C'était un peu ridicule tout de même, ce vernis rose ! Elle l'entraîna jusqu'à la porte juste au moment où Puck s'y engouffrait : la jeune fille rentra dans le nouveau venu, et sa tête alla heurter sa poitrine. Tous deux firent un bond en arrière comme s'ils avaient reçu une décharge électrique.

— Tu ne devais pas faire un tour en voiture avec tes potes ? demanda Finn, de plus en plus gêné.

Puck avait beau être son ami, si jamais il apprenait que Finn montrait un quelconque intérêt pour le chant, il n'hésiterait pas à le ridiculiser. Par exemple, en lui enfonçant un tutu sur la tête devant tout le monde.

Puck s'éclaircit la voix. Il avait suivi Quinn dans l'espoir de reprendre leur tête-à-tête. Et maintenant, Finn le regardait d'un air suspicieux. Il avait des traces de rouge à lèvres sur la figure, ou quoi ? Il chercha quelque chose pour éviter de lui répondre :

— Et toi, qu'est-ce que tu fous là ? Tu t'es reconverti dans l'humanitaire, c'est ça ?

Quinn éclata de rire. Rachel feignit de se plonger dans une partition qu'elle venait de sortir de son sac. À côté de la pom-pom girl en chef, elle se trouvait moche comme un pou. Même si elle n'osait pas se l'avouer, elle aurait bien échangé son physique contre les cheveux blonds, les longs cils et le petit nez de Quinn.

— C'est vrai, ça, Finn, reprit-elle, qu'est-ce que tu fais là ?

— Rien, répliqua l'intéressé en fourrant ses mains dans ses poches. On y va ?

Il se retourna furtivement vers Rachel et lui lança un sourire, comme pour s'excuser du comportement de ses amis.

La chanteuse les regarda s'éloigner avec un pincement au cœur. Quinn avait tout pour elle, y compris Finn ou du moins, elle semblait près du but. Est-ce qu'elle avait en plus besoin de la mépriser ? Quant à Puck, c'était un pauvre type. Personne ne la contredirait là-dessus. Un jour, il avait mis un coup de poing dans le nez d'un gamin rien que parce que ce dernier portait un T-shirt de l'université du Michigan. D'habitude, ce genre de railleries, surtout venant d'abrutis du genre de Puck, ne l'atteignait pas. Après tout, c'était un bon exercice : quand elle chanterait à Broadway, il y aurait toujours un ou deux imbéciles pour écrire des critiques gratuites à son égard. Elle devait s'habituer dès maintenant à rester de marbre.

Toute cette histoire l'aurait laissée complètement indifférente si Finn et elle n'avaient pas partagé un moment… privilégié. Jamais elle n'aurait imaginé pouvoir lui parler. D'une certaine manière, il lui avait fait entrevoir une partie secrète de lui-même : Finn en avait probablement assez de sa petite vie bien rangée et parfaitement prévisible.

Certes, elle était vexée qu'il la snobe, une fois ses amis présents. Mais elle le comprenait un peu. Elle avait beau être une future star, elle se trouvait pour le moment dans le même sac que tous les losers du lycée. Après tout, Finn prenait en considération l'avis de ses amis, et c'était bien normal. Il ne pouvait pas faire autrement. Un roi devait écouter ses conseillers et ne pas perdre de temps à parler au petit peuple. Elle pouvait déjà s'estimer heureuse qu'il lui ait accordé cinq minutes.

Mardi, début de soirée, chez Mercedes

Chez les Jones, les repas se révélaient chaque soir très mouvementés. Il y avait toujours au moins un ami et quelques cousins pour rester dîner, car la mère de Mercedes avait fait sienne cette expression : « Plus on est de fous, plus on rit. »

Le père, qui possédait son propre cabinet dentaire, avait pris l'habitude de donner une tape sur le derrière de sa femme en rentrant du travail. Mercedes en était mortifiée. Pour compléter le malaise de l'adolescente, tout ce petit monde bavard ne lui laissait que trop rarement l'occasion de s'exprimer.

Les repas se constituaient de restes – le plus souvent, un curieux mélange de légumes réchauffés et de fromage – ou de plats commandés chez le Chinois, l'Indien ou l'Italien du coin. Il suffisait d'appuyer sur une touche du téléphone pour obtenir la communication, car les numéros y étaient enregistrés. Ce soir-là, la famille, réunie autour d'une pizza recouverte d'une épaisse couche de fromage, avait accueilli deux amies du cours de hip-hop de la mère de Mercedes ainsi qu'un de ses cousins.

Une fois seule dans sa chambre, Mercedes put enfin souffler. Dans sa famille, sous prétexte que chacun avait le droit de s'exprimer, tout le monde parlait en même temps !

Les murs gris clair, la couette chocolat, le tapis et les rideaux roses lui offraient un cadre reposant. Le mot « Diva » se détachait en lettres de strass au-dessus de son armoire, non loin d'une lampe bleue qu'elle aimait contempler quand elle n'arrivait pas à dormir.

En dépit du calme retrouvé, il lui manquait quelque chose pour se sentir vraiment bien : chanter. Debout devant un grand miroir, elle se contempla sous toutes les coutures. C'était, comme disait sa mère, une fille « bien portante ». Pourtant, elle assumait ses formes, du moins la plupart du temps. Après tout, de nombreuses chanteuses afro-américaines comme Aretha Franklin, Ella Fitzgerald ou Beyoncé possédaient un derrière proéminent. Mercedes examina le sien par-dessus son épaule. Personne ne pourrait la contredire : elle était dotée d'un fessier digne d'une star de la chanson.

Elle décida de s'exercer sur « Tonight », le tube que le groupe répétait en ce moment. Mais elle n'arriva pas à se concentrer, car elle ne décolérait pas de l'intervention de Rachel. Et dire que la voix autoritaire de cette coincée avait réussi à couvrir la sienne ! Un exploit, vu son impressionnante cage thoracique. L'intruse avait probablement l'intention de s'accaparer le rôle de solo. Mercedes apparaissait pourtant parfaite dedans. Au vu de sa voix et de son physique, on pouvait même affirmer qu'il lui était dû ! Le coup de théâtre de Rachel l'avait indignée : elle avait surgi au beau milieu de la répétition accoutrée comme une gamine de primaire et avait critiqué tout le monde. Comme si elle y connaissait vraiment quelque chose ! En une heure de temps, elle avait réussi à saper le moral de l'ensemble des participants, trouvant à redire sur tout, de leur voix à leur attitude en passant par leurs gestes et même leur tenue ! Personne n'y avait échappé. Pour qui se prenait-elle donc ?

Mercedes jeta un coup d'œil à l'horloge de son ordinateur. Tous les mardis soirs, elle et Kurt regardaient *American Idol* pour s'échanger leurs avis sur les candidats, par textos interposés : ils se mettaient ainsi d'accord sur ceux qui craignaient et ceux qui assuraient. Ce rituel remontait au collège, lorsqu'ils avaient chanté ensemble « I'll Be There for You » à la cérémonie de remise des diplômes. Elle adorait Kurt, en particulier pour la qualité de son jugement. Les personnes qui le méritaient n'échappaient jamais à ses critiques acerbes. Quant à son sens de l'humour, il était irrésistible. Elle se tordait de rire à chacune de ses blagues. Et lui la comprenait comme personne.

Mercedes ne rêvait que d'une chose : qu'un agent la repère et lui fasse signer un super contrat qui lui permettrait enfin de fuir ce coin perdu où elle s'ennuyait à mourir. Elle était persuadée d'avoir assez de talent pour devenir une star.

Pourquoi avait-il fallu que son ami Kurt introduise Rachel dans le groupe ? C'était bien la preuve qu'il ne lui faisait pas confiance. Quelle insulte ! Elle pouvait tout à fait les diriger seule. En plus, Kurt n'avait demandé son avis à personne pour l'amener ! Elle avait envie de lui coller des claques.

Quelqu'un frappa à la porte.

— Ma chérie, appela sa mère, tu as de la visite.

Mercedes ouvrit des yeux ronds. Elle n'attendait personne. Ses amis, elle pouvait les compter sur les doigts d'une main. Et ils n'étaient pas du genre à débarquer sans prévenir : Tina habitait à l'autre bout de la ville et, comme sa mère travaillait tard, elle ne pouvait pas avoir été déposée ici. Artie devait être à ses cours du soir. Il n'en restait donc qu'un. Elle se précipita vers la porte de sa chambre pour l'ouvrir.

Kurt. Il portait une chemise claire sous un élégant pull en cachemire. L'adolescente fut aussitôt attirée par ses chaussettes striées de bleu, dont les orteils jaunes avaient de quoi surprendre. Kurt se montrait toujours si précieux que cette vue faillit déclencher l'hilarité de Mercedes.

Mais l'affaire Rachel Berry lui était restée en travers de la gorge.

— Sympas, tes chaussettes, lança-t-elle d'un ton agressif, un poing sur la hanche, en le foudroyant du regard.

Son vieux survêtement fuchsia ne l'avantageait pas. Elle aurait aimé avoir eu le temps de se changer.

Kurt repoussa une mèche de cheveux.

— Et toi, je trouve que les oreilles de Mickey te vont à merveille sur ce portrait, répliqua-t-il en montrant les photos exposées dans le couloir. C'est Cendrillon à côté ?

— Non, la Belle au bois dormant.

Mercedes s'éclaircit la voix.

— Écoute, si tu n'es pas venu pour t'excuser, ce n'est pas la peine de rester.

Kurt soupira, puis se mit à tripoter nerveusement les insignes métalliques de sa veste. Pour la jeune fille, on aurait dit un vêtement emprunté à un membre d'une fanfare, mais lui soutenait qu'il s'agissait d'un accessoire vintage hyper tendance.

— Laisse-moi entrer, s'il te plaît, ou ces charmantes dames en bas vont m'enrôler dans leur entraînement de hip-hop.

— C'est bon, viens, finit par dire Mercedes en lui cédant le passage.

Kurt contempla la chambre d'un air charmé.

— J'aime bien cette harmonie de couleurs.

Il avait dîné chez Mercedes à plusieurs reprises, souvent après avoir fait du shopping dans des boutiques de luxe, mais c'était la première fois qu'il montait dans la chambre de son amie.

— C'est sophistiqué et en même temps plein de fantaisie, commenta-t-il. On voit que tu es une fan de la chanson.

Il effleura une photo de Madonna dans son cadre, puis s'inclina légèrement devant elle, comme pour la saluer.

— Alors, ces excuses, ça vient ?

Mercedes ne comptait pas en rester là. Elle devait faire comprendre à Kurt à quel point il les avait blessés elle et ses camarades : comment avait-il pu permettre à cette fille de les rabaisser de cette façon ? Elle ne l'avait même pas épargnée, elle, la meneuse du groupe !

— Désolé si ça t'a vexée que j'invite Rachel, mais j'en ai assez que notre chorale soit la risée du lycée !

Il laissa courir son doigt le long de la frange d'un abat-jour.

— On est bons, tu sais, continua-t-il. Surtout toi. Tu es géniale ! Mais nous ne sommes pas synchros. On s'en est tous rendu compte. Et seule Rachel est capable de nous aider.

Mercedes avait rougi sous le compliment de Kurt. Même si elle n'avait pas besoin de ça pour se convaincre d'avoir du talent, venant de son ami, la remarque lui faisait très plaisir.

— Tu crois vraiment que Miss Chaussettes Ridicules a ce pouvoir ?

Si elle ne partageait pas toujours l'opinion de Kurt, elle était obligée de reconnaître qu'il possédait un flair incroyable. Il avait ainsi bluffé tout le monde en prédisant le triomphe d'Adam Lambert.

— Je peux te le parier.

Kurt regarda sa montre avant de s'asseoir sur le lit moelleux de Mercedes.

— Bon, dans ce cas, j'accepte tes excuses.

— Que signifie ce poster ? demanda Kurt, les yeux fixés sur un tigre rugissant au-dessus de l'ordinateur de la jeune fille.

— Ça illustre ma devise : la vie est une jungle. Si tu ne te bats pas, quelqu'un de plus fort finira par ne faire qu'une bouchée de toi, répondit Mercedes en souriant.

— Je vois que tu es optimiste, répliqua Kurt en opinant du chef. Je n'aurais pas cru.

Mercedes se mit à rire. Kurt était son meilleur ami, mais depuis quelque temps, elle ne le voyait plus de la même façon. Il ne ratait pas une occasion de la complimenter sur ses nouvelles boucles d'oreilles ou son rouge à lèvres. Et si…

Elle n'eut pas le temps d'aller au fond de sa pensée.

— Que dirais-tu d'un milk-shake? proposa-t-il en tournant brusquement la tête vers elle. (Ses cheveux soigneusement gominés ne bougèrent pas.) Mon père m'a surpris en train de regarder une émission de relooking, continua-t-il. Je ne te raconte pas quelle histoire ça a fait!

Mercedes gloussa. Le père de son ami était garagiste : c'était un dur à cuire qui passait son temps libre à démonter des moteurs, juste pour le plaisir. Autant dire qu'il avait beaucoup de mal avec le chant, la danse et la mode. Bref, avec tous les loisirs de Kurt.

— Comment tu t'y es pris pour qu'il te laisse sortir?

Il se contenta de rire, puis attrapa un cadre argenté sur le bureau de Mercedes : une photo d'eux en train de chanter à cette fameuse remise de diplômes.

— Comment peux-tu exposer ce truc? Je ressemble au gosse de *Maman j'ai raté l'avion* là-dessus.

Il reposa l'image.

— Eh bien, je lui ai dit que j'avais un rancard... avec une fille, expliqua-t-il.

Son père avait eu l'air si heureux à cette annonce que Kurt fut pris d'affreux remords. Il savait très bien que son géniteur ne voulait que son bien. Il le trouvait incroyablement naïf : petit, Kurt n'avait jamais réclamé de camions, mais des déguisements et des dînettes. Son père refusait manifestement de comprendre que son enfant ne voyait dans les filles que des partenaires de chant! La preuve : il s'était empressé de lui lancer les clés de sa belle voiture, avec pour seule recommandation de ne pas rentrer trop tard.

— Je suis toujours partante pour un milk-shake, approuva Mercedes. Laisse-moi juste le temps de me changer.

Au lieu de quitter la pièce, Kurt se contenta de se tourner vers la porte pour examiner les divers papiers punaisés sur un tableau, juste à côté.

— J'adore les gens qui collectionnent les souvenirs ! s'extasia Kurt en examinant des billets de concert.

Certains étaient même accompagnés d'autographes.

Mercedes ôta son survêtement pour mettre un jean. Pourquoi Kurt restait-il planté là ? Est-ce que par hasard… il avait des sentiments pour elle ? Ça devenait de plus en plus clair. Il était venu chez elle sur un coup de tête pour s'excuser… l'invitait à prendre un milk-shake… et refusait de quitter sa chambre pendant qu'elle se déshabillait… Il n'y avait qu'une seule explication.

Pour la première fois depuis l'intrusion de Rachel dans leur groupe, Mercedes vit son ciel s'éclaircir.

Mardi, fin de soirée, chez Häagen-Dazs

À Lima, tous les couples prenaient d'assaut les mêmes lieux de rendez-vous galants, qui se révélaient donc surpeuplés le soir venu. Il y avait le cinéma, le restaurant italien du centre commercial, les bancs situés à l'entrée du parc, et Häagen-Dazs. Au départ, il s'agissait du commerce d'un petit marchand de glaces. Des gens l'avaient racheté pour y aménager un espace consacré à la dégustation des célèbres crèmes glacées. Le magasin se situait sur la route 17, entre les fermes en périphérie de la ville et le centre historique, qui comptait de nombreux monuments délabrés.

Par la vitre de la voiture, Mercedes vit défiler un échantillon des boutiques et centres de loisirs qu'offrait Lima : un magasin d'alimentation, un club de karaté, un Pizza Hut, une association de retraités, trois banques et quelques échoppes minables qui semblaient sur le point de s'écrouler.

Kurt avait branché son iPod sur l'autoradio. La voix de Kanye West résonnait dans les haut-parleurs.

— Je crois que je pourrais très bien m'habituer à ces vitres teintées, déclara Mercedes en arrangeant ses boucles dans le miroir du pare-soleil. J'ai l'impression d'être une star.

— Ton heure de gloire sonnera un jour, ma chère, lui assura Kurt en manœuvrant pour entrer dans le parking.

Des monospaces et de vieilles Buick l'envahissaient. En effet, des adultes accompagnés d'enfants turbulents faisaient la queue à l'espace « Vente à emporter » et d'autres étaient assis autour de tables en bois à l'extérieur. À travers les fenêtres légèrement embuées, la salle semblait pleine à craquer.

— Je hais la foule ! se plaignit Kurt, qui frappa du poing sur son volant, feignant la colère.

Il se gara à côté d'une BMW rutilante.

— Pourquoi faut-il que tout le monde ait la même idée ?

La cohue ne dérangeait pas Mercedes, au contraire. Elle était ravie de s'afficher avec Kurt. La balade dans la belle voiture de son père avait déjà été un bon début : particulièrement haut sur roues, le véhicule offrait un point de mire agréable sur la ville où elle vivait depuis toujours. Lima semblait beaucoup plus jolie à travers des vitres teintées.

— On y va ? proposa-t-elle. Je commence à faire de l'hypoglycémie !

On se bousculait à l'intérieur. Kurt chercha des yeux la bande de footballeurs qui avait l'habitude de le harceler. Ouf ! La voie était libre. Il trouvait suffisamment humiliant de recevoir des granités en pleine figure au lycée. Se voir dégoulinant de crème glacée devant toute cette foule ne le tentait vraiment pas. Il peinait déjà à trouver des excuses pour expliquer à son père pourquoi la quasi-totalité de ses chemises revenaient constellées de taches rouges, violettes ou bleues.

— Je vais prendre un milk-shake au chocolat, s'il vous plaît, demanda Mercedes à l'adolescent qui prenait les commandes d'un air fatigué.

— Et moi un sundae sauce chocolat avec de la chantilly. N'oubliez pas la cerise !

Kurt jeta un coup d'œil à un groupe de sportifs installés dans un box. Lorsque l'un d'eux se leva pour aller remplir son verre d'eau à la fontaine, Kurt ne put quitter des yeux les muscles de ses mollets, qui se contractaient à chaque pas. Mercedes et lui étaient en train d'inspecter la pièce à la recherche d'une place quand Finn et Quinn firent irruption.

— Tiens, voilà Barbie et Ken, commenta Mercedes en fixant la silhouette féminine en tenue de pom-pom girl au bras du quarterback.

— Hum, on dirait que le club de chasteté a fini plus tôt que prévu, lâcha Kurt.

Il tenta de calmer les battements de son cœur.

— Les gens à cette table ont bientôt terminé, fit remarquer Mercedes.

Elle indiqua à son ami un coin où trois filles achevaient leurs boissons. Aux heures d'affluence, il fallait lutter pour pouvoir s'asseoir : mieux valait se tenir prêt à bondir.

Finn et Quinn se dirigèrent vers le comptoir.

— Tu as vu comme ses oreilles sont pointues, chuchota Kurt en fixant Quinn. On dirait un elfe !

Mercedes se mit à ricaner. Maintenant qu'il le disait, elle se représentait très bien la jeune fille dans un épisode du *Seigneur des anneaux*, un arc à la main.

— Pardon ! lâcha Quinn en heurtant délibérément Kurt avec son sac pour le forcer à s'écarter de son chemin.

D'habitude elle appréciait cet endroit, mais c'était sans compter avec tous les losers qui l'infestaient.

— Finn, je voudrais un yaourt glacé à la vanille et un Coca light, dit-elle en lissant le bas de sa jupe.

En général, elle ne s'autorisait pas ce genre d'excès. Mais, vu son héritage génétique – sa mère faisait toujours du 36 – et son entraînement sportif, elle pouvait bien s'accorder un petit écart. Cela dit, elle s'interdisait d'ingurgiter trop de calories d'un coup, car un estomac trop plein risquait de gêner ses acrobaties.

— Il y a une place qui se libère là-bas, annonça-t-elle à Finn. Ces filles ont presque fini.

— Désolé, mais on l'a vue avant vous, rétorqua Kurt en tendant un billet de dix dollars à la caissière.

Quinn le regarda comme elle aurait regardé un insecte nuisible. On aurait cru qu'elle voulait l'écraser du pied.

— Tu as réservé, peut-être ?

Elle tourna aussitôt les talons pour aller rejoindre la table convoitée d'un air conquérant. Mercedes et Kurt, médusés, restèrent à fixer sa queue-de-cheval s'agitant frénétiquement. Arrivée à la hauteur du trio d'adolescentes, elle leur adressa quelques mots qui les firent se lever en bloc. Elles rassemblèrent en hâte leurs gobelets sur leur plateau sans même les finir et filèrent vers la sortie, un grand sourire aux lèvres.

Quinn s'installa sur la banquette, puis essuya soigneusement la table avec une serviette. Elle se tourna vers Finn pour lui faire signe de la rejoindre, non sans un regard de triomphe en direction de Kurt et de Mercedes.

— Non, mais je rêve! s'indigna Mercedes avant de rattraper du doigt une goutte de milk-shake qui dégoulinait le long de son verre.

Elle inspecta les alentours : personne ne semblait vouloir quitter son siège de sitôt.

— Euh… désolé… bredouilla Finn en jetant un regard gêné vers Quinn, occupée à bavarder avec l'équipe de sportifs assis derrière elle.

Son T-shirt un peu relevé laissait entrevoir son ventre parfaitement plat.

— Vous attendiez aussi pour vous asseoir? continua-t-il.

Kurt ouvrit la bouche sans pouvoir articuler le moindre son. Finn Hudson… Waouh… C'était bien à lui qu'il daignait s'adresser? Certes, il ne brillait pas par son intelligence, mais mon Dieu, ce qu'il était canon! Et puis, lui seul l'autorisait à enlever sa veste vintage avant que les footballeurs le jettent dans la benne à ordures. Pour couronner le tout, il trouvait craquants ses cheveux savamment désordonnés. Quant à ses pommettes saillantes… elles étaient à tomber. Et il aurait voulu se noyer dans ses yeux qui lui rappelaient les bassins de chocolat de *Charlie et la chocolaterie*. Son admiration pour lui remontait au jour où Puck Puckerman et Jack Kurpatwinski avaient voulu le plonger dans une cuve pleine d'huile, servant à faire frire des nuggets. Tel un justicier, Finn s'était interposé entre Kurt et ses bourreaux.

— Effectivement, répondit Mercedes en donnant à son ami un coup de pied dans le tibia.

Pourquoi devenait-il aussi stupide devant Finn ? Ce n'était pas parce que sa cote de popularité dépassait de très loin la sienne que Kurt devait s'écraser. Son chien n'aurait pas agi autrement : quand il se retrouvait devant un congénère plus imposant, il s'aplatissait par terre, puis se roulait sur le dos. Comme disait son père, c'était un cas classique de soumission. Certes, Kurt n'allait pas jusqu'à se mettre les quatre pattes en l'air, mais il manquait de fermeté.

— Oh, aucune importance, mentit Mercedes avec un sourire faux. Ça ne nous dérange absolument pas de rester debout. D'ailleurs, est-ce qu'on a vraiment besoin de s'asseoir ?

— C'est sympa, conclut Finn avant de passer sa commande.

L'ironie de Mercedes n'effleura même pas son esprit. Il attendit sa commande en feignant de s'intéresser aux gens autour de lui. Enfin, il se retourna vers Kurt et Mercedes.

— Vous chantez dans la chorale du lycée, pas vrai ?

Les deux interpellés échangèrent un regard. Kurt en resta bouche bée. Comment se faisait-il que Finn sache quelque chose de lui ? Mercedes dut se résoudre à lui répondre :

— Ouais. Et alors ? rétorqua-t-elle en sirotant son milk-shake.

Finn se mit à contempler le bout de ses chaussures. Il fut soulagé de voir la serveuse lui tendre enfin ses deux gobelets de glace : il put relever la tête pour s'absorber dans autre chose que ses pieds. En réalité, il n'osait pas avouer à quel point la voix de Rachel l'avait ému.

— Euh… en fait… euh… j'ai entendu Rachel… Elle chantait… euh… après les cours… Elle m'a dit que vous répétiez… pour le concert.

Qu'est-ce qu'il était mignon à bafouiller ainsi ! Kurt en était tout attendri.

— Vendredi.

Ce fut le seul mot que ce dernier parvint à articuler.

Finn leur adressa un grand sourire. Même Mercedes en fut touchée. Qu'un type aussi admiré – et aussi canon – puisse leur parler comme à des êtres humains, ça lui faisait chaud au cœur.

— Bon, bah… bonne chance, conclut Finn. Je dois y aller.

— Qu'est-ce que tu fabriques ? lui demanda Quinn lorsqu'il posa les desserts devant elle.

Elle serra ses lèvres l'une contre l'autre pour répartir le rouge à lèvres qu'elle venait d'y déposer.

— Euh… bredouilla Finn en prenant place.

Un de ses coéquipiers arriva à sa hauteur pour lui taper dans la main en signe de salut.

— Je bavardais juste un peu, répondit-il en plantant sa paille dans le couvercle de son gobelet.

— J'ai bien vu ! lui rétorqua Quinn.

Elle aspira une gorgée de son breuvage. Est-ce qu'il avait bien pensé à demander du yaourt maigre à la place de la crème glacée ? Et du soda light ? Tout ça lui semblait terriblement sucré. Qu'est-ce qu'il croyait ? Qu'elle devait son corps parfait à des kilos de glace hypercalorique ?

— Pourquoi tu perds ton temps à bavasser avec ces losers ? Ils ne t'arrivent pas à la cheville.

Finn absorba bruyamment le contenu de son gobelet. Comment pouvait-elle se montrer aussi dure ?

— Je voulais juste être sympa.

— Tu aurais dû t'abstenir, le réprimanda-t-elle en prenant une autre lampée.

Elle finit par repousser son gobelet. Elle se sentait toute boudinée dans sa jupe tout d'un coup ! Finn avait dû se tromper dans la commande... Il était trop occupé à discuter avec ces deux abrutis, l'homo et cette grosse fille qui se permettait de commander des milk-shakes cent pour cent pur sucre et pur gras.

— Des amies à moi ont prévu de leur faire une petite blague vendredi, pendant leur concert. Ça devrait clouer le bec à cette Rachel pendant un bon bout de temps.

— Quoi ? s'écria Finn. Mais pourquoi ?

Est-ce que Quinn voulait lui faire payer son tête-à-tête avec la jeune fille ? Elle avait peut-être deviné qu'il était attiré par elle. Il se souvint soudain d'un vieux film d'horreur : le personnage principal découvrait sa jolie petite amie en train de jeter son lapin vivant dans une casserole d'eau bouillante.

— Tu as la mémoire courte, lui reprocha Quinn en tapotant nerveusement la table avec sa cuillère. Je te rappelle qu'elle a humilié les Cheerios devant tout le monde. Tu sais bien, le matin où elle s'en est prise à nous, au micro de Mme Applethorne. Elle va nous le payer.

La pom-pom girl pressa à nouveau ses lèvres l'une contre l'autre.

— Tu n'exagères pas un peu ? objecta Finn en s'essuyant la bouche d'un revers de main. Après tout, elle n'a fait qu'exprimer son opinion, non ?

— Elle n'en avait aucun droit, répliqua Quinn, les bras croisés. Si on ne la punit pas, d'autres pauvres filles comme elle se permettront de nous manquer de respect. Ce sera l'anarchie.

Finn n'eut pas l'air convaincu. Elle se mordit la lèvre. Leurs points de vue contradictoires les séparaient déjà. Et dire qu'ils n'étaient même pas ensemble ! Elle s'en serait bien mieux tirée avec un type comme Puck. Il aurait immédiatement approuvé ses idées et obéi à ses désirs.

Finn devait se ranger de son côté ou ça ne marcherait jamais entre eux. Et elle tenait beaucoup à former avec lui le couple star du lycée. Elle lui saisit la main au-dessus de la table. Il lâcha sa cuillère, sans pour autant répondre à l'étreinte de ses doigts.

— Il y a des types de ton équipe dans le coup, argumenta-t-elle en faisant palpiter ses longs cils. Alors, tu es des nôtres ?

Finn contempla les ongles roses parfaitement manucurés de la jeune fille. À ce moment-là, on aurait dit des pétales. Il s'imaginait parfaitement ses jolies mains posées sur ses épaules quand ils danseraient ensemble au bal du lycée. S'il voulait apparaître à son bras, il devait lui céder, au moins sur ce point. Certes, Rachel n'était pas la pimbêche que Quinn décrivait. Même si effectivement, elle avait poussé le bouchon un peu loin au micro, l'autre jour. Elle était même devenue légèrement hystérique, ce matin-là. Quoi qu'il en soit, elle était sympa et ne méritait pas qu'on s'en prenne à elle.

Quinn tapota impatiemment les doigts de Finn : elle attendait sa réponse. C'était le genre à mettre tout le monde à ses pieds. Il n'avait pas besoin de la connaître très bien pour s'en apercevoir. S'il ne se pliait pas à ses désirs, d'autres se précipiteraient pour exécuter ses quatre volontés.

— D'accord, finit-il par souffler d'une voix qui sonnait faux. Qu'est-ce que je dois faire ?

Mercredi matin, salle de musique

Ce matin-là, Rachel avait obtenu l'autorisation que le groupe rate la permanence pour répéter. Les membres de la chorale s'étaient essoufflés pendant une demi-heure à chanter « Tonight » tout en se familiarisant avec la chorégraphie de leur nouvelle meneuse. Elle l'avait concoctée la veille au soir en s'inspirant de *West Side Story*, qu'elle avait regardé de nouveau pour l'occasion. Ses camarades et elle venaient de recommencer l'exercice une sixième fois lorsque Artie s'arrêta net pour rouler son fauteuil à l'autre bout de la pièce.

— Qu'est-ce qui se passe ? demanda Rachel.

Elle portait un chemisier aux manches bouffantes sous une robe à carreaux en laine. Loin d'être entravée dans ses mouvements par cette tenue peu adéquate, Rachel faisait preuve d'une forme olympique : à la voir ainsi, on aurait pu croire qu'elle suivait sans relâche l'entraînement impitoyable de Sue Sylvester.

— On n'a pas fini de travailler les pas de danse.

— Tu permets que je boive ? répliqua Artie. Je suis au bord de la déshydratation. Un peu d'humanité, tout de même.

L'adolescent sortit une bouteille de son sac pour se désaltérer.

— Artie a raison, déclara Mercedes en se jetant dans une chaise en plastique. Une petite pause nous fera du bien. J'ai mal partout.

— Je commence à avoir sacrément chaud, se plaignit à son tour Kurt en se passant la main sur le front.

Il se servit d'une chemise en carton pour s'éventer.

— Je ne supporte pas les auréoles sous les bras, continua-t-il.

— On est cre… crevés, Rachel, intervint Tina. Et on a des de… devoirs à rendre.

Rachel mit les poings sur les hanches. Il ne leur restait que deux jours pour rôder leur numéro. Certes, ils avaient atteint un niveau correct en un temps record, mais ça ne suffirait pas à éblouir les foules. Ils n'avaient pas le temps de s'accorder la moindre récréation. Est-ce que Madonna s'interrompait toutes les cinq minutes pour aller boire quand elle préparait ses tournées ? Certainement pas. Rachel avait même entendu dire que la star pouvait s'entraîner dix-huit heures d'affilée sans même prendre de pause pipi…

O.K., Artie était dans une chaise roulante. Il avait une excuse. Peut-être pouvait-elle lui accorder le droit de se reposer. Mais elle trouvait scandaleux que les autres, qui se tenaient bien fermes sur leurs deux jambes, osent lui demander la même faveur. Pourtant, à bien y réfléchir, il valait mieux leur céder sur ce point plutôt que de les voir claquer la porte. Elle s'assit sur le banc du piano en soupirant.

— Je vous donne cinq minutes.

Mercedes se cala dans sa chaise et se mit à fredonner.

— Je ne veux pas travailler, improvisa-t-elle. I said no, no, no.

Tout le monde éclata de rire, à part Rachel.

— Vous avez vu le clip de Lady Gaga, « Just Dance » ? demanda Tina en sirotant un coca light. Moi, j'adore. Ses tenues sont complètement psychédéliques. On dirait qu'elle tourne une pub pour American Apparel.

Kurt adorait cette marque. Malheureusement, il fallait une heure de route pour trouver un magasin. Il s'y rendait une fois par mois pour s'approvisionner en T-shirts moulants, longs gilets ou tout vêtement turquoise qu'il pouvait y dénicher.

Tina entonna quelques couplets du tube en question. Ses pieds chaussés de plateformes battirent la mesure sur les faux carreaux du lino. Les pans de sa jupe écossaise noire et blanche, attachés par d'énormes épingles à nourrice, se soulevaient à chacun de ses mouvements.

— Waouh ! Quelle pêche ! commenta Mercedes avant de l'accompagner en fredonnant.

— *What's going'on, on the floor*... continua Tina.

— Elle nous a bien caché son jeu, cette petite délurée, commenta Kurt en la contemplant d'un air ahuri.

Quant à Rachel, elle roulait des yeux ronds. Certes, elle était ravie de voir Tina sortir de sa coquille. Le chant l'aiderait sûrement à acquérir la confiance nécessaire pour faire disparaître son bégaiement. Mais elle ne la laisserait pas pour autant lui voler la vedette !

— Tu devrais garder ta chorégraphie pour vendredi en huit, lâcha Rachel. Sinon, tu n'auras plus de quoi nous surprendre.

Tous échangèrent des regards perplexes.

— Pourquoi ? demanda Artie. Il se passe quelque chose de spécial ce jour-là ?

Les yeux de Rachel s'écarquillèrent :

— Ben, oui ! C'est le bal. Le moment où nous pourrons fêter notre triomphe !

— Et si on ne vient pas ? demanda Tina en s'affalant sur une chaise pour vider sa cannette.

Rachel ne put s'empêcher de pousser un soupir de soulagement. Elle ne croyait pas du tout à la célèbre formule d'Andy Warhol : « À l'avenir, tout le monde aura son quart d'heure de gloire. » Pour elle, on ne devait compter que sur son talent pour devenir célèbre. Ne serait-ce que pour quinze minutes.

— Tu ne veux pas y aller ? s'étonna-t-elle.

Elle avait toujours rêvé de participer à ce genre de cérémonie. Quand elle était petite, son placard était plein à craquer de robes de bal. Ses parents transformaient la salle à manger en piste de danse pour qu'elle ait l'occasion de les porter.

— Moi non plus ! déclara Mercedes en fixant le piano.

La seule personne qu'elle voulait voir à son bras ce soir-là, c'était Kurt. Or, il ne lui avait pas demandé. S'il avait voulu la choisir comme cavalière, il lui aurait déjà proposé. Elle lui jeta un coup d'œil : l'adolescent se recoiffait précautionneusement.

— Et moi, ma chaise est trop encombrante pour me permettre de danser au milieu d'un tas de gens, déclara Artie.

Il aurait pourtant été ravi d'y accompagner Tina, et uniquement elle. Mais il n'avait pas osé l'inviter : elle aurait été probablement embarrassée d'avoir pour danseur le seul type en fauteuil roulant du lycée.

— Je ne supporte pas la foule, s'excusa à son tour Tina en triturant un de ses bracelets en cuir noir.

— Alors, si je comprends bien, aucun d'entre vous n'est partant ? conclut Rachel, incrédule. Est-ce que vous vous rendez bien compte que le bal est un des événements majeurs auxquels se doit d'assister tout lycéen ? Et toi, Kurt ?

— Je suis en train de réfléchir à la question.

Il arborait sa chemise préférée signée Marc Jacobs et son jean moulant délavé.

— Je viens de m'acheter un costume Tom Ford sur eBay. Ce sera l'occasion unique de le porter.

Rachel applaudit frénétiquement :

— Super ! Les autres vous venez aussi, pas vrai ?

Que Kurt s'y connaisse autant en mode la bluffait.

— J'ai dit que j'étais en train de réfléchir, c'est tout, l'interrompit Kurt.

Il trouvait énervante sa façon de s'enthousiasmer sur tout.

— Je n'ai pas très envie de me frotter à l'équipe de footballeurs, argumenta-t-il. Ils seront là au grand complet, probablement soûls et prêts aux pires méfaits. C'est un très beau costume. Je ne sais pas si je peux lui faire prendre un risque quelconque.

— Vous devriez avoir honte, tous autant que vous êtes ! s'emporta Rachel.

Elle donna un coup de poing rageur sur le piano. Elle était presque aussi furieuse que lorsqu'elle avait surpris les Cheerios à faire payer les votes.

— Pourquoi est-ce que seuls les sportifs devraient avoir le droit de participer aux fêtes du lycée ? continua-t-elle, excédée. Ça ne leur suffit pas de recevoir la quasi-totalité des fonds destinés aux activités extrascolaires ? Ils peuvent créer tous les clubs qu'ils veulent, eux. Et il faut encore qu'ils nous balancent des granités à la figure tout au long de la journée ! On ne peut pas se laisser marcher sur les pieds comme ça !

Artie resserra son nœud de cravate.

— Ils s'en donnent le droit parce qu'ils sont beaux, expliqua-t-il.

Aucun membre du groupe ne possédait un physique exceptionnel. Sauf Tina, bien sûr. Pour lui, c'était la plus jolie fille du lycée. Les mèches bleues de ses cheveux ressemblaient à des rubans soyeux. Il allait jusqu'à aimer le fard à paupière fuchsia ou bleu électrique dont elle se barbouillait. En plus, elle était vraiment gentille, ce qui, bien sûr, comptait plus que tout.

— L'histoire nous montre que les gens agréables à regarder se tirent de toutes les situations.

Rachel leva les bras au ciel.

— Ce n'est pas une raison !

Elle se tourna vers Tina, en qui elle devinait une alliée potentielle.

— Tu danses super bien, tu sais. Ça ne te plairait pas de porter…

Elle s'arrêta pour examiner son look gothique.

— Euh … une chouette robe noire et des bracelets à clous ? Tu serais à ton avantage pour montrer à tout le monde ta super chorégraphie…

Tina fit « non » de la tête.

— Je… je ne crois pas que je pourrais… dit-elle en contemplant le sol. Je suis ca… capable de me donner en spectacle devant vous… mais pas en face de tout ce monde. Et puis, il y en aura tou… toujours un pour me faire un croche-pied… Ça les amusera sûrement de me voir me vau… vautrer par terre.

Rachel recula d'un pas, complètement désemparée.

— Bon, écoutez-moi. Nous devons tous y aller. Il faut montrer aux autres que dorénavant on ne se laissera plus maltraiter et que personne ne peut influencer notre manière de penser.

Lors du dernier bal, au printemps précédent, Rachel était restée chez elle, feignant d'être trop occupée à mettre à jour son profil sur MySpace. En réalité, elle ne s'était pas remise de son échec cuisant lors de l'élection du délégué de classe. Ça se passerait autrement cette année : elle irait à cette cérémonie, avec ou sans cavalier.

Kurt poussa un soupir agacé. Certes, il appréciait chez Rachel son envie de vouloir changer le monde, mais son insistance devenait fatigante.

— Tout cela part de bons sentiments, Rachel, commenta-t-il. Seulement, la réalité s'avère bien plus cruelle. Comment veux-tu empêcher les autres de nous maltraiter ? Et tous ceux qui les admirent de penser comme eux ?

— Kurt a raison, déclara tristement Mercedes. Tout ce qu'on gagnera, c'est attirer encore plus l'attention sur nous ! Déjà que je ne passe pas inaperçu… Non seulement je suis une des seules Blacks du lycée mais, en plus, je n'ai rien d'une asperge.

Rachel tourna la tête vers Artie et Tina : ils opinèrent du menton pour montrer qu'ils partageaient son avis. Elle eut envie de s'arracher les cheveux. Comment pouvaient-ils partir battus d'avance ? Ils n'avaient donc jamais vu une comédie musicale ? Si ça avait été le cas, ils auraient su qu'on ne doit jamais abandonner le combat. Elle était d'autant plus en colère que leur désir de participer à ce bal crevait les yeux. Seulement, ils paraissaient terrifiés. Juste parce qu'une poignée de lycéens risquaient de se moquer d'eux !

La jeune fille jeta un coup d'œil à l'horloge suspendue au-dessus de la porte. Ce n'était pas encore l'heure d'y aller. Elle eut soudain l'impression d'étouffer dans cette pièce. Les membres du groupe manquaient décidément de combativité. Avec eux, ses rêves de gloire avaient peu de chance de se concrétiser. Il fallait qu'elle évite de mettre tous ses œufs dans le même panier et qu'elle trouve rapidement un plan B.

Mercredi, un peu plus tard dans la matinée, bureau de la conseillère d'orientation

Mlle Pillsbury occupait le poste de conseillère d'orientation depuis un an et demi. Elle avait relevé le niveau en remplaçant Mme Delzer, qui s'était vue obligée de démissionner après un scandale lié à des pots de vin : un officier de l'armée l'avait soudoyée pour pousser les sportifs du lycée à venir gonfler ses effectifs. Elle avait dû quitter précipitamment l'Ohio pour échapper aux poursuites judiciaires.

Mlle Pillsbury avait des cheveux roux coupés au carré. C'était une jeune femme pleine d'entrain, dont l'air heureux contrastait avec la mine renfrognée des autres professeurs, qui, pour la plupart, moisissaient dans ce lycée depuis de nombreuses années. Avec ses grands yeux, on aurait dit une héroïne de dessin animé japonais.

— Rachel, qu'est-ce que je peux faire pour toi, aujourd'hui ?

La conseillère lui souriait gentiment, les mains croisées sur un bureau étonnamment propre. L'écran de son ordinateur laissait apparaître de temps à autre des expressions censées motiver les visiteurs. Rachel eut le temps de voir surgir les phrases : « Tu peux le faire », « Vis tes rêves jusqu'au bout », et « L'avenir t'appartient : fonce ! ».

Elle tourna les yeux vers une grande plante qui tendait ses feuilles vers la lumière. Le long du mur, les étagères étaient encombrées de guides d'orientation et de brochures vantant les mérites des différentes universités. Rachel paria mentalement que pas un seul élève n'avait consulté ces documents, vu le peu d'ambition ambiante.

En entrant, l'adolescente s'était essuyé une seconde fois les pieds sur le paillasson intérieur marqué d'un « Welcome ». Elle ne voulait pas contrarier Mlle Pillsbury, bien connue pour son obsession de la propreté.

— J'ai absolument besoin de votre aide en matière d'orientation, répondit Rachel.

— Je suis là pour ça, l'encouragea son interlocutrice. Assieds-toi.

La jeune femme arborait une blouse verte ornée d'un énorme nœud. On aurait dit une scoute habillée pour aller proposer des cookies de porte à porte.

Rachel prit place en face d'elle, dos à la baie vitrée qui donnait sur le couloir. Elle ne put s'empêcher de jeter un coup d'œil derrière elle, car la sensation que quelqu'un la singeait à son insu ne la quittait pas.

— Le lycée ne me donne plus la possibilité d'exploiter mes capacités.

Mlle Pillsbury cligna des paupières.

— Très bien, Rachel. Puis-je savoir ce qui te fait penser ça ? Qu'est-ce qui t'a démotivée ?

— En fait, je me suis renseignée sur les lycées spécialisés dans les arts du spectacle – genre celui de *Fame*. Vous savez, la série. Je crois que je serais plus à ma place dans ce style d'établissement.

Elle imaginait un emploi du temps de rêve : chant, aérobic, claquettes, théâtre, déjeuner.

La conseillère hocha la tête d'un air désemparé. Le plus souvent, elle recevait des élèves indifférents aux études. C'était beaucoup plus rare de voir des adolescents désireux de tirer parti de leurs capacités. Rachel Berry apparaissait comme un spécimen intéressant. Elle ne laissait aucun professeur de marbre : soit ils l'adoraient soit ils la détestaient. Certes, elle obtenait toujours d'excellents résultats aux examens et participait aux cours avec un enthousiasme que nombre de ses camarades manifestaient uniquement pour le déjeuner. Cependant, elle se montrait parfois un brin agressive.

— Est-ce que tu rencontres des difficultés d'intégration ?

— Quoi ? Mais non, je ne cherche pas du tout à m'intégrer. Ça n'a rien à voir.

Miss Pillsbury n'eut pas l'air convaincue. Elle n'avait jamais vu Rachel se lier d'amitié avec qui que ce soit, ni traîner avec des camarades à la cafétéria. D'ailleurs, elle la comprenait : cet endroit était un véritable nid de microbes. Elle avait lu quelque part qu'un évier contenait plus de bactéries que la lunette des toilettes ! Et celui de la cuisine de l'école n'était probablement pas le plus propre qu'on puisse trouver. Cette idée la rendait malade. Elle saisit brusquement son flacon de désinfectant pour s'en enduire les mains. Le parfum citronné du produit la calma un peu.

— Alors, de quoi s'agit-il ? reprit-elle patiemment.

Poser de multiples questions faisait partie de son travail : c'était la seule façon d'aider les élèves à prendre conscience de leurs ambitions, si modestes soient-elles.

Rachel poussa un long soupir en contemplant les rangées de prospectus derrière le bureau. Mlle Pillsbury n'écoutait absolument pas ce qu'elle racontait. Un défaut qu'elle jugea impardonnable chez une conseillère d'orientation. Elle s'efforça de recommencer calmement ses explications.

— Il paraîtrait logique qu'étant une élève surdouée, je bénéficie d'une formation adaptée.

La jeune femme se massa les tempes du bout de ses ongles soigneusement manucurés. Elle essayait de se convaincre que si tous les lycéens avaient les aspirations de Rachel, son travail en serait facilité.

— Je comprends, acquiesça-t-elle.

— Génial ! s'exclama l'adolescente.

C'était dans son caractère de réagir de manière excessive, et la conseillère le savait. Celle-ci prit donc une expression compatissante pour tenter de freiner son enthousiasme.

— Rachel, je vois bien que tu es une jeune fille pleine de talent. Je t'ai entendu chanter au micro de Mme Applethorne et j'ai trouvé ça très bien.

Elle était sincère en disant cela, bien qu'elle n'ait écouté que d'une oreille car elle était obnubilée par l'idée que le micro devait être infesté de germes. Avec tous ces gens qui se succédaient pour y parler !

— Merci, répondit poliment l'intéressée.

Elle ne comprenait pas les objections auxquelles Mlle Pillsbury paraissait vouloir la préparer. Est-ce qu'aider les élèves à réaliser leurs projets ne constituait pas sa tâche principale ?

— Je peux me renseigner pour toi sur les lycées artistiques, si tu veux. Mais es-tu bien sûre d'avoir essayé toutes les activités proposées ici ? Le groupe de jazz ou bien la comédie musicale qui est en train de se former ? Oh, et puis, il y a Glee !

Soudain, en regardant par-dessus l'épaule de Rachel, la jeune femme aperçut une empreinte de doigt sur la baie vitrée. Elle brûlait d'envie d'attraper sa bouteille de nettoyant pour aller l'enlever.

— Il paraît qu'ils recherchent de nouveaux membres, continua-t-elle nerveusement.

Rachel se cala dans sa chaise, refroidie.

— Je les connais. En fait, ils m'ont littéralement suppliée de venir les aider.

Elle jeta un coup d'œil machinal à son chemisier rose pâle aux manches bouffantes : il avait échappé aux granités pour le moment. Si seulement il pouvait rester propre jusqu'au soir !

— Le problème, c'est qu'ils ne prennent pas ça au sérieux, expliqua-t-elle. Et puis, M. Ryerson n'est pas à proprement parler un coach digne de ce nom. Il est incompétent !

— Depuis combien de temps fais-tu partie du groupe ?

— Lundi, répondit-elle sèchement.

Mlle Pillsbury hocha la tête, feignant d'approuver l'adolescente. Au fond d'elle-même, elle doutait que deux jours soient suffisants pour se faire une réelle idée de la chorale.

Mais elle ne voulait surtout pas contrarier Rachel, qui paraissait sur la défensive.

— Eh bien, sans doute as-tu besoin de quelqu'un de sérieux pour t'épauler.

À cet instant, M. Schuester apparut dans son champ de vision : il tendait une copie à une élève qui affichait une mine renfrognée.

— Pourquoi ne t'accordes-tu pas quelques semaines de plus dans ce club pour voir s'il s'améliore ? On est au tout début de l'année scolaire. Ça me semble très tôt pour envisager de quitter l'établissement, non ?

— C'est que je suis pressée. Je ne veux pas perdre du temps à des activités où je ne peux pas progresser.

— Je vois, répliqua Miss Pillsbury sans quitter le professeur d'espagnol du regard.

Il était toujours en train de discuter avec l'adolescente : avec un peu de chance, la conseillère aurait achevé son entrevue avec Rachel au moment où lui en aurait fini avec son élève. Ils pourraient aller ensemble à la cantine réservée aux enseignants. Elle saisit son Tupperware. Il contenait des carottes – qu'elle avait lavées trois fois avant de les râper –, ainsi que des feuilles de laitue.

— Pourtant, il y a bien assez de loisirs ici pour que tu puisses trouver ton bonheur et finir par exceller dans un domaine.

— Je suppose que vous avez raison, se rangea soudain Rachel.

De toute façon, elle hésitait encore à poursuivre ses études dans un lycée spécialisé. Elle redoutait trop la concurrence de ce genre d'établissements, où elle ne serait sans doute qu'une fille talentueuse parmi d'autres. Ce qu'elle voulait, elle, c'était briller. Et peut-être que ce lycée médiocre pouvait lui en donner la possibilité.

— Je vais rester dans le groupe. Pour le moment, du moins. Peut-être que je pourrais en faire quelque chose. Merci pour vos conseils.

— Je suis à ta disposition, Rachel. Reviens quand tu veux, affirma la conseillère en croisant les doigts pour que la jeune fille ne prenne pas cette politesse au pied de la lettre.

Elle la voyait déjà venir la déranger trois fois par jour. Après tout, elle n'était pas psychologue ! Mais Rachel était bien du genre à la considérer comme telle. Elle raccompagna l'élève à la porte, puis décrocha son sac à main pendu au portemanteau.

— Bonne chance avec Glee ! lui souhaita-t-elle.

Le petit réconfort que Rachel avait ressenti après cet entretien ne dura pas. Quelqu'un s'en était pris à la bannière géante faisant de la publicité pour le concert du vendredi.

Le mot « Musique » avait été barré et, au-dessus, on avait écrit : « Aux chiottes ! » Les élèves qui passaient devant se poussaient du coude en ricanant. Rachel étouffait de colère. Décidément, ce lycée ne la méritait pas !

Elle rebroussa chemin pour rejoindre Mlle Pillsbury, qui venait de sortir de son bureau.

— Après réflexion, j'aimerais avoir des informations sur les classes artistiques d'autres lycées. Ce serait bête de se fermer des portes, lança-t-elle.

Puis elle s'éloigna.

— De quoi parle-t-elle ? demanda M. Schuester en regardant l'adolescente disparaître.

Il la connaissait. Quelques minutes auparavant, alors qu'il justifiait sa mauvaise note à une élève, il avait entendu malgré lui la fin de la conversation de sa collègue avec cette jeune fille.

— Est-ce qu'elle t'a demandé des conseils pour intégrer un lycée pour artistes ?

Miss Pillsbury ferma sa porte à clé. Même si peu de lycéens venaient y frapper, elle ne voulait pas courir le risque qu'un d'entre eux s'introduise chez elle pour laisser des traces infectes sur sa moquette.

— C'est Rachel Berry, murmura-t-elle à l'oreille de l'enseignant.

En général, elle évitait de parler des élèves avec les autres professeurs, car elle tenait à garder pour elle leurs confidences. D'ailleurs, elle ne considérait pas Will Schuester comme un collègue mais plutôt comme un ami avec qui elle avait pris l'habitude de déjeuner.

— Je sais, elle était dans ma classe l'année dernière, se rappela-t-il. Et c'est elle qu'on entend chanter tous les matins, pas vrai ?

— Parfaitement.

La jeune femme découvrit soudain les horreurs écrites sur la bannière.

— Je vais demander au concierge de venir enlever ça, déclara-t-elle.

Elle ne pouvait pas supporter de telles grossièretés.

— Est-ce que le projet de Rachel est sérieux ? insista-t-il. Ce serait vraiment dommage qu'elle s'en aille. Elle a une voix magnifique.

Ils arrivèrent dans le couloir désert menant à la salle des professeurs.

— C'est vrai, lui accorda-t-elle en s'arrêtant devant la vitrine qui renfermait les trophées du groupe Glee. Autrefois, le lycée était fier de sa chorale.

— Oui. Tu vois ces statuettes ? Quand j'en faisais partie, on remportait les communales tous les ans. On a même gagné les régionales, une fois !

Il contempla la silhouette dorée représentant un chanteur.

— Tous les gamins voulaient participer ! Il y en avait tellement qu'on avait des remplaçants et même des volontaires pour remplacer ces remplaçants ! On était les stars du lycée. Tu nous aurais vus !

— J'aurais bien aimé, répondit rêveusement Miss Pillsbury en essayant de s'imaginer Will en ce temps-là.

Il devait juste être un peu plus maigre, mais avec les mêmes cheveux ondulés.

Le jeune homme tourna la tête vers les coupes gagnées par les Cheerios. Il y en avait au moins quinze représentant des jeunes filles levant leurs pompons. M. Schuester n'avait rien contre le sport. Mais il trouvait que l'établissement ne faisait pas assez d'efforts pour proposer des activités basées sur autre chose que les performances physiques. Les temps avaient bien changé depuis sa jeunesse : quand il était lycéen, un membre de la chorale était aussi admiré qu'un footballeur, qu'un joueur de baseball ou qu'une pom-pom girl.

Ce constat avait de quoi le déprimer !

Jeudi matin, couloirs du lycée

— Je peux recopier ton devoir de littérature ? demanda Brittany à Santana alors qu'elles arpentaient avec Quinn un couloir du lycée. J'ai complètement oublié de le faire.

Elle rassembla sa chevelure blonde en une queue-de-cheval haute. Sa jupe courte de pom-pom girl dévoilait de longues jambes minces.

— Brit, le sujet était : « Racontez vos vacances d'été », répliqua Santana en s'appliquant une touche de rouge à lèvres. M. Horn risque de trouver étrange que tu sois allée au Nicaragua rendre visite à ta grand-mère Maria, tu ne crois pas ? Tu n'es pas d'origine sud-américaine que je sache ?

— Ah, oui, c'est vrai, soupira Brittany. Et toi, Quinn, qu'est-ce que t'as fait cet été ?

Quinn roula des yeux effarés. Elle était toujours consternée par la stupidité de son amie. Est-ce qu'elle avait bien tous ses neurones ? Pourtant, son corps semblait fonctionner normalement : il devait être connecté à un cerveau. Elle aurait aimé passer ses pauses autrement qu'assaillie par les questions ridicules de Brittany. Par exemple, en étant attentive à ce qui se passait autour d'elles. Car tout le monde avait les yeux braqués sur le trio. Non pas parce qu'elles avaient quelque chose qui clochait, comme du persil coincé entre les dents ou une tache d'encre sur leur jupe. Non, les autres élèves étaient tout simplement béats d'admiration devant elles.

Elle réfléchissait à la meilleure façon de clouer le bec à Brittany lorsque son sac à dos se mit à vibrer. Elle s'empressa d'en sortir son iPhone, un cadeau de son père à l'occasion de la rentrée scolaire. C'était un texto. Le numéro lui était inconnu mais le style lui permit aussitôt d'en deviner le destinateur : « débarasse toi de té kopine é retrouv moi dan le local du concierg prè de la biblio sé pa lé gradin mé ça fra lafère je taten. » Elle s'imaginait la voix mielleuse de Puck en train de lui susurrer ces paroles.

Son cœur se mit à cogner si fort dans sa poitrine qu'elle craignit que ses voisines l'entendent. Même s'il s'agissait de ses meilleures amies, il était hors de question qu'elles soupçonnent quoi que ce soit entre elle et Puck. Santana, pour une raison bien simple : elle était déjà assez jalouse d'elle comme ça, alors si elle se rendait compte que Quinn et Puck s'étaient embrassés, ça ferait toute une histoire. Quant à Brittany, elle ne savait pas garder un secret. Même si elle s'armait de toute la bonne volonté du monde, son QI n'était pas assez élevé. Elle était incapable de se concentrer suffisamment pour ne pas gaffer.

— C'est un SMS de Finn, mentit-elle. Il est vraiment adorable.

— Houhouhouhou… lancèrent ses amies en chœur.

Une bande de garçons s'écarta précipitamment de leur passage. C'était un des nombreux avantages d'appartenir à l'élite des Cheerios. Elles pouvaient marcher au milieu du couloir en prenant toute la place : les autres élèves se plaquaient aussitôt contre les murs pour leur laisser la voie libre.

— C'est trop mignon, commenta Santana. Vous formez vraiment un super beau couple, vous deux.

Elle s'interrompit pour claquer sa paume contre celle d'une autre Cheerio qui venait en sens inverse.

— C'est dingue que vous ayez mis si longtemps pour sortir ensemble.

— Comme Cendrillon et le prince… commença Brittany. Euh… C'est quoi son nom déjà ? Ah, oui : le prince William !

— Mais non, idiote, répliqua Santana. Le prince charmant !

Quinn ne put s'empêcher de nouveau d'ouvrir grand les yeux. Elle savait pourtant – sa mère le lui répétait assez souvent – que cette manie lui donnerait des rides prématurées.

Tout le monde lui serinait le même refrain : Finn et elle étaient faits l'un pour l'autre. Non seulement elle n'en était pas persuadée mais en plus, ça enlevait tout romantisme à leur histoire.

En revanche, elle n'allait pas du tout avec Puck. Ses camarades s'accorderaient là-dessus. Ils n'avaient absolument rien en commun. Ce type s'était envoyé toutes les mères de famille du coin – ou presque – l'été précédent en feignant de nettoyer leur piscine. Et sa participation à la dernière réunion du club de chasteté n'avait absolument pas convaincu la jeune fille de son intégrité.

En même temps, son côté « mauvais garçon » le rendait très attirant.

— C'est vrai que les garçons potables ne courent pas le lycée, déclara Quinn. Je ne sais pas comment je m'y suis prise pour ne pas le remarquer avant.

Elle tenta d'oublier le texto.

— Puck aussi est canon, lança Brittany. Et j'aime bien le type du cours de maths, celui qui est toujours assis devant, avec ses pulls.

— Je rêve ou tu parles de M. DeWitt ? s'indigna Santana. C'est le prof ! Le prof de maths ! Me dis pas que t'avais pas remarqué !

Quinn n'avait aucune envie d'entrer dans cette conversation. Elle relut le message avant de se décider à y répondre : « Je ne peux pas venir. Je dois aller en cours. » Elle marqua une pause avant de poursuivre : « De toute façon, il ne se passera plus rien entre nous. »

Les trois filles longèrent une salle dont la fenêtre était ouverte : Quinn huma l'odeur de l'herbe fraîchement coupée. Le souvenir du moment passé avec Puck sous les gradins lui revint aussitôt. Elle devait absolument se montrer ferme avec lui et mettre fin à cette relation insensée.

Son portable vibra de nouveau : « je ve just te parlé. sil te plè. »

Ce dernier mot suffit à la faire changer d'avis. La requête de Puck n'apparaissait pas si anormale, après tout. Il voulait seulement discuter et ce ne serait pas sympa de refuser. Ils iraient juste se cacher dans le local sombre du concierge pour se mettre d'accord sur le point suivant : même s'ils étaient incontestablement attirés l'un par l'autre, ils devaient en rester là. Quinn avait certes cédé une première fois, mais c'était dans un moment d'égarement qui ne lui ressemblait pas. Dieu lui pardonnerait sans aucun doute cet écart de conduite et elle pourrait tourner la page.

« O.K. », lui envoya-t-elle avant de fourrer son téléphone au fond de son sac.

— Dites, les filles, je viens de me rappeler que je dois absolument rendre un livre à la bibliothèque.

Son mensonge était gros comme le nez au milieu de la figure, mais Santana et Brittany semblaient bien trop occupées à débattre d'une question cruciale : une carotte contenait-elle plus de calories qu'un bâton de céleri ? Elles prêtèrent à peine attention aux paroles de Quinn, qui continua sur sa lancée :

— Et je passerai aux toilettes après, alors inutile de m'attendre.

— D'accord. On se retrouve en cours, répliqua Santana avec un petit signe lorsqu'elle s'éloigna vers l'escalier menant à la bibliothèque.

En montant les marches, Quinn prépara son discours. Elle avait décidé d'être honnête avec Puck, ou du moins de le paraître. Elle lui dirait qu'il lui plaisait bien mais que leur histoire ne pouvait pas avoir de lendemain. Évidemment, elle ne lui avouerait jamais que ses jambes tremblaient rien qu'en repensant à la caresse de sa main sur sa nuque près des gradins. Ou bien qu'elle songeait à lui chaque fois que l'odeur de l'herbe fraîchement coupée lui parvenait.

Le couloir de l'étage supérieur était quasiment vide maintenant. Quinn jeta un coup d'œil à la bibliothèque par la porte ouverte. Elle regrettait de ne pas avoir de livre à rendre. Ça lui aurait évité de mentir, ce qu'elle détestait par-dessus tout : au bout du compte, on se faisait toujours attraper.

Le local du concierge se trouvait en face d'elle, pas loin des toilettes réservées aux filles. Avec sa porte peinte en vert bouteille, il se fondait dans les murs carrelés du couloir. Son emplacement constituait un avantage pour elle : si quelqu'un la voyait, on penserait qu'elle allait se repoudrer le nez. Elle prit une longue inspiration avant de s'élancer, avec la même impression que lorsqu'elle était propulsée en haut de la pyramide de pom-pom girls : elle était partagée entre l'exaltation et la crainte d'une catastrophe imminente.

Elle ouvrit la porte.

Jeudi matin, local du concierge

Puck, adossé au mur, attendait Quinn dans l'obscurité. Il jeta un coup d'œil à son téléphone portable pour vérifier l'heure. Et si elle ne venait pas ? Elle avait peut-être fait semblant d'accepter ce rendez-vous pour se débarrasser de lui. Si ça se trouvait, elle était tranquillement allée à leur stupide cours de littérature. En ce moment, elle devait être en train de rigoler avec Santana et Brittany. Peut-être même qu'elle se moquait de lui et de ses faux airs de tombeur. S'il était le playboy qu'il prétendait, pourquoi perdait-il tous ses moyens en face de Quinn ? L'attente le rendait nerveux. Qu'est-ce qu'il faisait à poireauter dans ce foutu local, qu'il n'avait utilisé jusqu'à présent que pour y enfermer des pauvres types ?

Soudain, la magie opéra : la porte s'ouvrit pour laisser apparaître Quinn.

— Pourquoi tu n'allumes pas la lumière ? demanda-t-elle en tâtonnant à la recherche d'un interrupteur.

Puck retrouva instantanément espoir à la vue de la jeune fille : si la présidente et fondatrice du club de chasteté avait accepté son rendez-vous dans ce local obscur, c'est qu'il avait sacrément bien mené sa barque.

— T'inquiète, personne ne nous verra, assura-t-il en lui attrapant le bras.

Les yeux de Quinn s'habituèrent progressivement à l'obscurité. Elle n'avait pas peur du noir. Et ce n'était pas la première fois que quelqu'un se jetait sur elle dans la pénombre. Sa paroisse avait un jour offert aux fidèles une balade en charrette suivie d'une excursion dans une maison hantée – en réalité un long tunnel sombre fait d'un matériau souple qui subissait les assauts du vent. Comme tous les autres participants, Quinn avait dû y pénétrer seule, dans une nuit d'encre, accompagnée d'une musique digne d'un film d'épouvante. Soudain, des silhouettes revêtues de draps blancs s'étaient jetées sur elle. Se retrouver dans l'obscurité la plus complète sans savoir ce qui l'attendait avait été une expérience terrifiante. Elle avait eu la peur de sa vie.

La situation qu'elle était en train de vivre s'avérait encore plus effrayante, mais pour une tout autre raison. Elle repoussa violemment la main de Puck. L'odeur du jeune homme avait couvert celle du désinfectant que le concierge remisait là. Contrairement à Finn, son coéquipier ne mettait pas de parfum, seulement du déodorant, auquel se mêlaient des effluves de transpiration.

— Je savais que tu viendrais, souffla Puck d'un air de triomphe en se rapprochant de sa proie.

Elle recula de quelques pas jusqu'à se retrouver bloquée contre la porte. En dépit de la pénombre, elle sentait son souffle tout près d'elle. Et, zut ! Son cœur lui faisait toujours le même coup : il battait de nouveau à tout rompre. Ses bonnes résolutions s'envolèrent en un clin d'œil.

— Qu'est-ce qui te fait dire ça ?

En guise de réponse, il se pencha vers elle pour déposer sur sa bouche un baiser léger, qui devint bientôt passionné. Elle ne résista pas à l'envie de lui rendre : il avait un goût de chocolat qui lui rappelait les irrésistibles fondants que, plus jeune, elle achetait dans une pâtisserie renommée. C'était un vrai délice d'avaler ces douceurs chaudes et sucrées. Mais céder à cette tentation pouvait se révéler terriblement dangereux pour la ligne. Embrasser Puck équivalait à déguster un de ces gâteaux : c'était à la fois exquis et extrêmement pernicieux.

— Tu as super bon goût, murmura Puck en s'aventurant dans son cou. On dirait un genre de citron grave bon.

— C'est de la mangue. J'ai mis du gloss.

Quinn avait fermé les yeux pour mieux savourer les baisers du jeune homme.

— De la mangue… répéta-t-il sans s'arrêter.

Quinn frissonna de tout son corps.

Soudain la sonnerie retentit, ramenant l'adolescente à la réalité. Elle chercha précipitamment l'interrupteur de peur de retomber sous le charme de Puck. Par chance, elle le trouva presque aussitôt, et la pièce fut baignée de lumière.

— Qu'est-ce qui te prend ? s'indigna-t-il en se protégeant de la clarté soudaine.

Ça lui faisait tout drôle de voir la pom-pom girl en chef dans ce local minable : avec son uniforme rouge et pimpant, elle ne semblait pas à sa place.

— J'étais juste venue te parler, déclara-t-elle en clignant des yeux.

Elle avait croisé les bras. Et dire qu'elle venait d'embrasser Puck une nouvelle fois ! Quelle mouche l'avait piquée ! Elle était complètement folle !

En pleine lumière, l'endroit avait perdu tout son charme. Les objets qui l'encombraient n'avaient rien d'excitant : une foule de produits nettoyants en tout genre s'alignaient sur une immense étagère en métal et, dans un coin, un balai à franges noir de crasse, à proximité d'un énorme seau sur roulettes, semblait n'avoir pas été remplacé depuis cinquante ans.

— Je te signale que tu m'as affirmé vouloir discuter, insista la jeune fille.

— Je sais mais, quand je t'ai vue…

Il s'interrompit pour contempler Quinn d'un air qu'il s'efforça de rendre tendre. En réalité, il ne parvint qu'à afficher une expression sournoise.

— … Je n'ai pas pu m'empêcher…

— Alors, je t'écoute, reprit Quinn en arrangeant ses cheveux.

Ses yeux s'arrêtèrent sur un énorme récipient où elle lut : « *Poudre absorbante pour vomi. Désodorisante.* » Il y en avait au moins pour un an. Le concierge s'en servait à chaque fois qu'un élève régurgitait son déjeuner en plein couloir. Très romantique !

— Euh… j'en sais rien, répliqua Puck d'un ton soudain embarrassé. Je pensais que, comme on est plus ou moins ensemble maintenant, tu voudrais peut-être m'accompagner au bal…

— Ah oui ?

Alors comme ça, il préférait y aller avec elle plutôt qu'avec Santana ? Avec elle et pas une autre ? Elle se sentait flattée malgré elle.

— C'est vraiment gentil, Puck, mais ne compte pas là-dessus, c'est impossible.

Le jeune homme prit un air hostile. Il n'était pas assez bien pour elle, peut-être ? Non mais, pour qui elle se prenait ? Il s'était fait quatre cents dollars à nettoyer des piscines et il n'en avait dépensé que la moitié en packs de bière et en jeux vidéo. Ça voulait dire qu'il lui en restait environ deux cents. Largement de quoi lui offrir des coups à boire pendant le bal, des fleurs pour son corsage, et des cocktails après la soirée.

— Et pourquoi ça ? demanda-t-il.

— Redescends un peu sur terre, Puck.

C'était quand même dommage ! Il dansait sans doute rudement bien. D'ailleurs, son corps devait savoir faire pas mal d'autres choses... Elle tenta de chasser cette pensée pour se concentrer sur sa bonne résolution.

— Il est hors de question qu'on nous voie ensemble. J'ai une réputation à tenir, moi.

— Et alors, bordel ? Qu'est-ce que tu crois ? répliqua-t-il en caressant nerveusement sa crête. Moi aussi, je dois faire gaffe à mon image.

— Eh oui, approuva Quinn dans un soupir. Celle d'un type qui se jette sur la première venue, sous prétexte qu'elle lui a souri.

— T'énerve pas ! J'y peux rien si toutes les gonzesses sont folles de moi.

L'adolescente jeta les yeux sur le seau d'absorbant pour vomi. L'arrogance de Puck était à la fois énervante et super sexy. Tout le monde savait qu'il prenait les filles pour des Kleenex : il les jetait juste après s'en être servi. Et ce n'était pas son problème si elles ressortaient de là un peu moins propres !

Quinn essaya d'imaginer la réaction de son père si, en ouvrant sa porte, il trouvait Puck sur le seuil : que penserait-il de sa crête iroquoise et de son sourire narquois ? Pas que du bien sans doute. Il était même capable d'obliger sa fille à porter une ceinture de chasteté !

— De toute façon, je sors avec Finn, déclara Quinn.

Puck alla s'adosser au mur d'en face. Son jean descendait sur ses hanches et son T-shirt à manches longues lui moulait les pectoraux. Quinn ne put s'empêcher de se le représenter sous la douche après l'entraînement. Elle chassa aussitôt cette image.

— C'est officiel ?

— Quasiment.

Elle devait maintenant mettre un terme définitif à cette relation insensée. D'ailleurs, elle avait la preuve que Puck n'était absolument pas digne de confiance. Elle prit une profonde inspiration pour lui assener le coup final :

— Lui et moi, on va sûrement être élus roi et reine ce soir-là. Tout le monde autour de moi n'arrête pas de me le répéter.

Le jeune homme lui tira la révérence.

— Eh bien, ma chère, je ne voudrais pas me mettre entre toi et ta couronne. C'est donc ça qui te rend hystérique ?

— Tu es trop méchant, se plaignit-elle en ramassant son sac. Je ne sais même pas pourquoi je suis venue.

— Parce que je te plais, répliqua-t-il. Tu ne peux pas le nier.

Il se rapprocha jusqu'à la frôler : de nouveau, elle fut impressionnée par la longueur de ses cils.

— Qu'est-ce que je dois faire pour que tu comprennes ? C'est non ! déclara-t-elle en remontant la fermeture Éclair de son sweat-shirt.

En dépit de la chaleur étouffante, une protection supplémentaire n'était pas de trop. Au cas où il se jetterait sur elle…

— Il n'y aura jamais plus rien entre nous, conclut-elle. C'est sans appel.

Sans attendre sa réplique, elle entrouvrit la porte. Le couloir était désert. Elle se faufila dehors en priant pour que Puck ait la courtoisie de patienter un peu avant d'en sortir à son tour. Et puis, elle n'avait aucune envie qu'il lui emboîte le pas. Se retrouver de nouveau en face de lui ne lui disait rien pour l'instant. Elle marqua une pause pour jeter un coup d'œil à sa montre. Même si le cours de littérature avait commencé depuis longtemps, elle décida de faire un détour par les toilettes, histoire de se remettre de ses émotions.

Dans la salle de classe, M. Horn, assis sur son bureau, racontait ses vacances dans le sud de la France. Les élèves étaient censés avoir lu *Tendre est la nuit*, un roman de Fitzgerald qui se passait sur la Côte d'Azur. Le rapport n'était pas évident pour tout le monde ! Mais ça arrangeait bien les adolescents qui, habitués à ce genre de « digressions éducatives », en profitaient pour chuchoter entre eux.

Santana lança un regard à l'horloge suspendue au-dessus du tableau. Qu'est-ce que Quinn fabriquait ? Elle avait disparu depuis un bon bout de temps. L'autre jour déjà, elle était arrivée au club de chasteté avec dix minutes de retard. Pourtant, c'était elle qui avait insisté pour que Santana se joigne aux membres. D'habitude, elle était toujours très ponctuelle. Ça ne lui ressemblait décidément pas ! Et puis, Santana avait besoin de ses conseils pour choisir sa tenue de bal : elle avait apporté un magazine de mode dont elle avait écorné les pages intéressantes. Le prof était en train de déblatérer sur les petits marchés français, si pittoresques. C'était le moment idéal pour écouter les suggestions de son amie : devait-elle porter du rouge pour qu'on la remarque, ou plutôt du vert, qui rehausserait son teint mat ?

Elle s'ennuyait ferme. Jetant un regard à la ronde, elle s'aperçut de l'absence de Puck. Ça n'avait d'ailleurs rien d'étonnant le concernant, vu qu'il séchait la majeure partie des cours. Quand il n'était pas là, elle se sentait un peu déboussolée, ne sachant où poser les yeux. Car elle avait l'habitude de le prendre pour point de mire : il se plaçait toujours deux sièges devant elle et, ainsi, elle pouvait admirer l'arrière de ses oreilles, qu'elle trouvait terriblement sexy.

Enfin, la porte s'ouvrit doucement. Santana tourna la tête pour découvrir Quinn gagner discrètement la table derrière elle. M. Horn, trop occupé à passer des diapositives, ne s'aperçut de rien.

— Pourquoi tu as mis autant de temps ? chuchota Santana en examinant, suspicieuse, les joues rouges de Quinn.

— Oh, mais c'est le nouveau numéro ! répliqua celle-ci en tendant la main vers le magazine de son amie. Laisse-moi voir ça. J'ai remarqué une robe qui t'irait à merveille, je vais la retrouver.

Santana lui tendit son exemplaire, oubliant déjà l'air bizarre de Quinn. Elle passa même sur son rouge à lèvres plus très net.

Jeudi après-midi, salle de musique

Les fenêtres grandes ouvertes de la pièce laissaient pénétrer les bruits extérieurs : des coups de sifflets provenant des terrains de sport retentissaient à tout instant, accompagnés du ronronnement lointain d'une tondeuse. Kurt, assis devant le piano à queue, faisait courir ses doigts sur le clavier. Il jouait un air de *La Mélodie du bonheur*, l'une de ses comédies musicales préférées. Il s'agissait de la chanson « How Do You Solve a Problem Like Maria ? ».

Quand il était petit, il rêvait de se retrouver à la place d'un des gosses de la famille von Trapp : il aurait tout donné pour pouvoir chanter en chœur avec ses frères et sœurs chaque soir avant de se coucher. D'ailleurs, l'un d'entre eux s'appelait Kurt. Pourtant ce n'est pas pour lui qu'il avait le béguin, mais pour son frère aîné, le dénommé Friedrich. Ils menaient une existence paradisiaque… jusqu'à l'arrivée des nazis, bien sûr.

Artie attendait impatiemment l'arrivée de Mercedes et de Rachel. Le groupe ne pouvait pas se permettre de commencer en retard, car il devait ensuite laisser la place aux musiciens, qui avaient déjà entreposé là leurs guitares.

— Qu'est-ce qu'elles fabriquent ? marmonna-t-il.

À chaque fois qu'il pensait au spectacle du lendemain, ses mains devenaient moites. C'était leur dernière répétition avant la grande première en public. Cette idée lui donnait des sueurs froides. Qu'est-ce qui lui avait pris d'accepter de monter sur scène ? Tout le monde le détestait ! Le peu d'élèves qui ne voyaient pas en lui un binoclard asocial le fuyaient quand même comme la peste à cause de son handicap. C'était bien connu : se retrouver dans une chaise roulante pouvait se révéler contagieux. Pourtant, c'était bien pour cette raison qu'il s'était d'abord fixé ce défi. Il voulait montrer à tous qu'il était bon à quelque chose. Certes, il s'avérait incapable de renvoyer un ballon ou de grimper à une corde, mais une chose était sûre : il avait une belle voix.

— T'as entendu Rachel chan… chanter ce matin ? lui demanda Tina.

Un bandeau orné de clous dans les cheveux et un T-shirt Hello Kitty sur le dos, elle gribouillait quelque chose sur son bras à l'aide d'un feutre vert. Ses paupières bleu électrique scintillaient.

— Je l'ai trou… trouvée moins lourde cette fois, continua-t-elle. Ou alors… je me suis ha… habituée à son style.

— Je pencherais plutôt pour cette dernière hypothèse, répliqua Kurt en s'arrêtant soudain de jouer. C'est indéniable, ma chère !

— Hé, mais dis-moi, il est super chouette ton dessin ! s'exclama Artie en s'approchant de Tina.

Un superbe phénix déployait majestueusement ses ailes sur la peau de son amie.

L'adolescent chercha vainement du regard un magazine ouvert ou une quelconque représentation ayant pu lui servir de modèle.

— Est-ce que tu l'as inventé ? Je veux dire : il est sorti tout droit de ton imagination ?

— Oui… acquiesça Tina en rougissant.

Elle avait toujours eu des facilités en dessin. Il lui suffisait d'avoir vu un sujet une seule fois pour être capable de le reproduire de mémoire. Depuis toute petite, elle noircissait des pages et des pages de blocs avec des silhouettes d'animaux, de gens, et même de vieux objets. Tout ce qu'elle rencontrait au cours d'une journée, elle l'immortalisait sur le papier. C'était une façon comme une autre d'occuper ses heures solitaires, et un très bon moyen de passer inaperçue.

— Tu es super douée ! s'enthousiasma Artie. Tu nous avais caché ça !

— Mer… ci, bafouilla la jeune fille.

Il était vraiment adorable ! Peut-être avait-il changé d'avis concernant le bal ? Elle entortilla nerveusement une mèche de cheveux autour de son doigt. Et si elle lui proposait de l'accompagner ? Après tout, même s'il n'était pas particulièrement attiré par elle, il accepterait sûrement. Il manquait rarement une occasion de manifester sa gentillesse. Et qui sait ? Avec un peu de chance, ils pourraient bien s'amuser !

— C'est hors de question, Miss ! s'écria Mercedes en faisant irruption dans la pièce.

Les trois autres furent stoppés net dans leurs activités. La jeune fille, l'air revêche, s'avança vers eux, Rachel sur les talons. Elles étaient manifestement en train de se disputer.

— Mais si ! Ce sera super chouette ! lui assura son interlocutrice en jetant son sac à dos sur une chaise.

Kurt se leva aussitôt pour aller se planter aux côtés de Mercedes. Rachel, les poings sur les hanches, semblait plus obstinée que jamais.

— Mercedes et moi discutions des costumes qu'on portera demain. Je proposais un look des années cinquante.

— Du genre jupes à caniche ? lança Tina, peu enthousiaste.

— Parfaitement ! s'écria Rachel. Mon père participe à l'organisation des représentations théâtrales de Lima. La dernière en date, c'était *Grease*. Il pourra sans problème se procurer leurs costumes féminins.

— Et pour les hommes, qu'est-ce que tu as prévu ? demanda Kurt.

Il préférait crever que de porter une tenue aussi ringarde qu'une jupe brodée d'un chien.

— Quelque chose de tout simple à la James Dean. Un jean un peu moulant et un T-shirt blanc, par exemple.

Elle se tourna vers Kurt et Artie.

— Il faudra vous mettre du gel dans les cheveux. Vous n'auriez pas des vestes en cuir, par hasard ?

— Écoute, l'interrompit Mercedes. Oublie tout ça. Personne ici n'ira se ridiculiser dans des fringues qui feront penser à un mauvais remake de comédie musicale. Elle est vraiment nulle ton idée. On n'est plus au collège, quoi !

— Alors, qu'est-ce que tu proposes ? demanda Rachel, agacée, en ramenant ses cheveux derrière l'oreille.

De tous ceux présents dans cette salle, elle était la seule à avoir jamais bénéficié d'un entraînement sérieux. Enfant, elle avait participé à tous les spectacles imaginables, ce qui avait suffi à prouver son indéniable talent. La seule chose qui l'avait empêchée de continuer, c'était la maltraitance dont elle avait été victime : un jour, son père avait surpris un gamin en train de l'obliger à vomir dans la loge des artistes. Grâce à ces multiples expériences, elle avait compris toute l'importance du choix des costumes. La règle d'or, c'était de porter des tenues assorties. Et puis, une jupe ornée d'un caniche ferait toujours sourire.

— On pourrait trouver quelque chose de plus classe, et en tout cas, de plus original.

Mercedes ferma les yeux pour mieux se concentrer. Pour elle, l'artiste qui avait la meilleure présence scénique était Madonna, incontestablement. Bien sûr, les membres de la chorale n'allaient pas s'afficher dans des tenues de cuir moulantes ou des soutiens-gorge pointus. Mais il fallait que ça en jette.

— Que pensez-vous de gilets à strass ? suggéra soudain Kurt, les yeux brillants.

— Sur des T-shirts noirs ? compléta Tina. Et un jean moulant, comme le proposait Rachel ?

L'intéressée haussa les épaules. Elle savait pertinemment que Tina disait ça pour la calmer. Ils étaient tous contre elle, encore une fois. Ça se comprenait, d'ailleurs : elle avait pensé aux costumes avant eux et, maintenant, ils lui en voulaient. Et puis, elle était arrivée en dernier dans le groupe, ce qui, sans doute, ne l'autorisait pas à prendre la moindre décision. Mais le plus flagrant, c'était leur jalousie démesurée. Elle se montrait tellement plus douée qu'eux ! Tout ce qu'ils voulaient, c'était lui mettre des bâtons dans les roues.

— Très bien, lâcha-t-elle sèchement.

Mercedes lui lança un coup d'œil satisfait, sans être rassurée pour autant. Certes, elle avait gagné cette bataille. Mais si Rachel, vexée, décidait de quitter le groupe ? Elle tenta de détendre l'atmosphère :

— De toute façon, tu me vois trémousser mon gros popotin dans ce genre de jupe ?

Rachel s'efforça de sourire. Ça ne servait à rien de se disputer, après tout.

— Bon, oublions tout ça. Si on poursuivait ? suggéra-t-elle. On n'en a pas fini avec cette chorégraphie. Kurt, tu commences toujours par le mauvais pied... Il faut qu'on recommence.

— À vos ordres, capitaine, répliqua celui-ci en faisant le salut militaire.

Rachel leur donna le signal de la reprise. Toute cette querelle n'avait aucune importance. Et puis, elle allait bientôt quitter le lycée pour de meilleurs cieux. Même si elle mourait d'envie de leur clouer le bec avec cette nouvelle, elle se concentra pour donner ses instructions. Une telle bombe risquait de faire tomber à l'eau la répétition, ainsi que toutes leurs chances pour le lendemain.

Elle mettrait tout en œuvre pour que leur prestation soit un triomphe, car elle comptait bien tirer sa révérence sous un tonnerre d'applaudissements.

Jeudi, fin d'après-midi, couloirs du lycée

— Tu crois que Rachel connaît v… vraiment toutes les répliques de *West Side Story*? demanda Tina à Artie en quittant la salle de musique.

L'entraînement les avait épuisés. Tout en leur imposant un rythme effréné censé en faire des « rois de la danse », comme elle le prétendait, leur coach s'était vantée de savoir par cœur, depuis ses sept ans, les paroles complètes de sa comédie musicale préférée.

— Ça ne m'étonnerait pas, répondit Artie. Elle est du genre maniaque, tu sais.

Tina gloussa. Elle dénoua le sweat-shirt à capuche qu'elle portait autour de la taille pour l'enfiler.

— Quand même, ça fait des pages et des pages… de texte…

— Ce n'est pas ça qui va l'arrêter, continua Artie en souriant.

Il s'arrêta soudain.

— Je vais de ce côté, déclara-t-il en pointant du menton la sortie de secours qui donnait sur la cuisine de la cafétéria. Mon père doit m'attendre.

— Pourquoi est-ce qu'il vient te prendre là? s'enquit Tina d'un air surpris. Ce n'est pas ici qu'on met les bennes à ordures?

Une éternelle odeur de poisson flottait dans les environs, même quand ça n'était pas au menu. Quant à Tina, sa voiture l'attendait non loin de l'entrée principale. Artie ricana nerveusement.

— C'est la seule issue munie d'une rampe d'accès pour fauteuils roulants, expliqua-t-il. Je passe toujours par là.

Tina devint rouge comme une tomate.

— Oh, je… je suis… désolée, bafouilla-t-elle.

Son ami allait la prendre pour une imbécile profonde. Elle était tellement accoutumée à le voir dans sa chaise qu'elle en avait totalement oublié son handicap, ce qui l'entraînait parfois à faire des gaffes terribles.

— Je n'ai pas ré… réalisé, s'excusa-t-elle.

— T'inquiète pas, la rassura Artie. C'est pas grave.

Il empruntait ce passage tellement souvent que les effluves nauséabonds ne le gênaient plus. Cinq marches lui interdisaient l'accès principal. Il aurait fallu que quelqu'un le prenne à bout de bras. Ces petits désagréments l'obligeaient seulement à considérer les choses sous un angle différent que la plupart des gens.

— N'oublie pas de bien reposer tes cordes vocales ce soir, conseilla Artie à son amie. Tu en auras besoin demain!

Tina le regarda s'éloigner avant de faire volte-face. Ses yeux s'arrêtèrent sur une affiche jaune accrochée au mur. Elle lut :

« *Appel à tous les artistes : nous avons besoin de votre aide pour décorer la salle de bal. Rendez-vous vendredi midi au gymnase pour apporter vos idées.* »

Effectivement, les membres de ce groupe ne semblaient pas déborder d'imagination. Un unique pinceau en carton venait décorer l'annonce. Si c'était là toute l'étendue de leurs talents, ils avaient raison de vouloir s'entourer de véritables artistes. Depuis qu'Artie l'avait complimentée sur son dessin, elle avait repris un peu confiance en elle. Peut-être qu'elle pourrait se proposer…

Et puis, même si Rachel était particulièrement barbante, elle avait dit tout haut ce que Tina pensait tout bas, l'autre fois. Tout le monde avait le droit de participer à des activités extrascolaires, même les élèves qui n'étaient pas dans le vent, comme elle. Est-ce que le talent se mesurait à la cote de popularité ? Il n'y avait aucune raison pour qu'elle reste dans son coin pendant que les autres s'amusaient !

— Dégage, la gothique, lui lança quelqu'un.

Deux types de l'équipe de natation marchaient droit sur elle. Un de leurs sacs manqua lui arriver en pleine figure. Ils empestaient le chlore, au point d'irriter les yeux de Tina.

D'habitude, elle évitait autant que possible de se retrouver au contact des autres élèves. Un jour, elle avait été désignée pour présenter un exposé devant toute la classe – quelque chose qui portait sur le compromis du Missouri. Elle n'en avait pas fermé l'œil de la nuit. C'était la première fois qu'on lui demandait de parler en face d'une assemblée, et cette perspective l'avait terrifiée – même si son discours ne devait durer que cinq minutes, laps de temps qui lui semblait une éternité.

Quand elle se retrouva sur l'estrade, elle prit à part Mme Marcy, la prof d'histoire, pour lui expliquer, en pleurs, qu'elle ne pouvait pas parler devant tout le monde parce qu'elle a… avait trop honte… de… de… bé… bégayer. Pour apaiser la conscience de sa prof, elle la convainquit que ce n'était pas sa faute si elle n'avait rien remarqué : Tina n'ouvrait jamais la bouche et elle ne pouvait pas interroger tous les élèves, vu qu'ils étaient trente-cinq.

Au lieu d'en être quitte juste pour cette fois, elle fut dispensée de tout exposé à venir. Dans le cas de travaux de groupe, on lui confiait les recherches tandis que les autres se chargeaient de la présentation orale. Elle se servit alors de son bégaiement comme d'un refuge : on l'excusait de ne pas participer à des activités en société, ce qui lui permit de s'enfermer dans sa solitude. Et, au lieu de chercher à bavarder avec les élèves qui l'entouraient, elle se mit à dessiner dans son coin. Ça lui paraissait un bon moyen d'éviter le stress qu'auraient pu lui causer les relations sociales.

Depuis quelques mois, pourtant, le bernard-l'ermite qu'elle était commençait à se sentir à l'étroit dans son coquillage. Il était temps d'en sortir pour aller se dégourdir les pattes – ou les pinces, elle ne savait pas – et découvrir ce qui se passait dehors.

Était-ce la chorale qui lui faisait cet effet, ou seulement les vitamines que sa mère lui demandait d'avaler depuis peu ? Mystère… En tout cas, Tina n'avait plus qu'une idée en tête : foncer. Elle n'hésita pas une seconde en inscrivant son nom sur la liste. Il n'y avait aucune raison de se défiler : elle disposait d'un don artistique qui ne pourrait être que d'un grand secours à ce groupe de travaux manuels.

Et qui sait ? Elle parviendrait peut-être par ce biais à persuader Artie de l'accompagner au bal. Ce serait le moment ou jamais d'admirer les décorations qui devaient servir à la salle. Et même s'il ne trouvait aucun intérêt à cette fête, il ferait peut-être l'effort de venir rien que pour ça. On pouvait toujours rêver, après tout !

Jeudi soir, chez Rachel

Rachel était occupée à remplir le lave-vaisselle. D'habitude, elle partageait les tâches ménagères avec ses pères. Pour ce qui était des repas, les trois membres de la famille les commandaient à tour de rôle. Cette fois-ci, elle s'était exceptionnellement chargée du dîner. S'inspirant d'une recette, elle avait concocté un bon petit plat à ses parents : tartare de thon sur son lit de salade, le tout accompagné d'asperges grillées et de pommes de terre au four. Elle considérait la cuisine plus comme une distraction que comme une corvée : c'était l'occupation parfaite pour décompresser et penser à autre chose que la représentation du lendemain.

D'ordinaire, le préposé au repas était dispensé du rangement qui s'ensuivait. Mais ce jeudi-là coïncidait avec l'anniversaire de la rencontre de ses parents, dix-neuf ans plus tôt. Ils avaient prévu de fêter ça en allant voir *Certains l'aiment chaud*, une projection unique qui avait lieu au théâtre de la ville.

L'un de ses deux pères, Leroy, apparut dans l'embrasure de la porte. La jeune fille était en train de passer un coup d'éponge sur la table.

— Tu es sûre de vouloir rester ici, Rachel ? lui demanda-t-il.

Il était afro-américain, un détail qui avait poussé Rachel à s'inscrire au club des Minorités du lycée. Elle adorait noircir son CV de tout un tas d'activités extrascolaires.

— Oui, allez-y tous les deux et amusez-vous bien ! répondit-elle en ramassant un pétale tombé du bouquet de roses qu'elle leur avait offert. J'ai pas mal de devoirs, et je dois en plus faire des exercices de relaxation pour être détendue demain.

— Tu seras super, comme d'habitude, lui assura son deuxième papa, Hiram, en entrant furtivement pour récupérer son portefeuille en cuir.

Il lui claqua un bisou sur la joue.

— Ne travaille pas trop, ma chérie, lui recommanda-t-il.

Elle n'attendit pas longtemps avant de percevoir le vrombissement de la voiture. Avoir la maison pour elle toute seule n'était pas désagréable. Dommage qu'elle n'ait pas eu de petit ami à qui envoyer des textos. Elle aurait profité de l'absence parentale pour organiser un rendez-vous impromptu.

Sa liste de conquêtes masculines se bornait à deux noms : ceux de types qui avaient suivi le même stage de théâtre qu'elle pendant les vacances. L'un deux était devenu homosexuel après l'avoir embrassée… Mais ce n'était pas cet incident de parcours qui l'aurait empêchée de se considérer à sa juste valeur : elle était belle, intelligente, dotée d'un sens de l'humour irrésistible et d'un sourire plus blanc que blanc. Bref, elle incarnait la petite amie parfaite. Malheureusement, les lycéens susceptibles d'apprécier ses multiples qualités étaient tous hors de sa portée.

Rachel s'assit à son bureau avec un petit soupir. Plus tard, elle se glisserait dans un bain parfumé à la lavande pour se consacrer à ses séances de visualisation. Elle avait bénéficié des conseils d'un thérapeute spécialisé qui lui avait enseigné l'art d'imaginer les événements à venir selon un scénario idéal. Elle comptait se servir de cette technique, tout à l'heure, pour se projeter mentalement au lendemain, sur la scène de l'auditorium. Elle devinait déjà les spectateurs en train de retenir leur souffle. Un rond de lumière l'éclairerait, ainsi que les autres membres du groupe, légèrement en retrait. Elle ouvrirait bien grand la bouche pour emplir la salle de sa voix magnifique… Tonnerre d'applaudissements.

On pouvait penser ce qu'on voulait de cette technique, ça ne coûtait rien d'essayer. Mais avant ça, elle devait mettre à jour son blog sur MySpace. Elle en était accro. Et puis, ça lui faisait de la pub. On ne comptait plus les chanteurs qui avaient décroché un contrat avec une maison de disques après s'être constitués un réseau de fans sur le Web. C'est pourquoi Rachel avait décidé de poster tous les jours une vidéo d'elle en train de chanter.

Elle commença par sélectionner un tube sur son iPod, branché à des enceintes. La voix de Gwen Stefani retentit. Sa chambre était pour elle un havre de paix : les murs jaune vif, le joli couvre-lit et l'énorme fauteuil poire en faisaient un petit nid douillet. C'était l'endroit rêvé pour travailler et se divertir. Elle s'était justement filmée en train de chanter

« Bleeding Love » de Leona Lewis, et le résultat la satisfaisait pleinement.

Elle commença par supprimer les commentaires indésirables envoyés par des Cheerios qui avaient visiblement du temps à perdre – sans compter ce type flippant qui la complimentait sur ses amygdales. Elle put enfin télécharger sa vidéo. Ce rituel particulièrement l'excitait : un simple clic, et elle avait une chance de plus d'être repérée par un agent. Il suffisait qu'un connaisseur la découvre au hasard d'Internet pour que sa carrière démarre. Elle voyait déjà le tapis rouge se dérouler devant elle…

Mais en attendant, elle devait s'atteler à son devoir d'histoire. Alors qu'elle se concentrait sur le sujet, un petit bip l'informa qu'elle venait de recevoir un message instantané. Une fenêtre s'ouvrit aussitôt sur son écran : un certain Sharkfinn5 lui écrivait :

« P.-S. : Fais attention demain. Des Cheerios vous préparent un sale coup au concert. Signé : un inconnu. »

Rachel scruta son écran quelques secondes, le temps de réfléchir à l'identité de ce héros masqué. Ce ne pouvait être que Finn Hudson. Le prénom concordait, et le numéro 5 faisait référence à son dossard de footballeur. En plus, l'usage incorrect du P.-S. – son message n'avait rien d'un post-scriptum – lui ressemblait bien. Et puis, il était le seul parmi ses connaissances – certes lointaines, puisque leur relation s'était bornée à une seule et unique conversation – à avoir des liens avec les pom-pom girls. C'est vrai que l'autre fois, ils avaient partagé un moment privilégié. Court, certes, mais intense. Alors, comme ça, il se sentait concerné par ses problèmes ? Elle n'aurait jamais osé rêver une telle compassion de sa part ! Elle en fut toute retournée, au point d'en devenir fébrile. Il prenait de si gros risques en la prévenant ! Et dire qu'il n'avait pas hésité à trahir les Cheerios – y compris sa petite amie Quinn – pour la mettre en garde ! Ça signifiait que son sort ne lui était pas indifférent ! Elle n'arrivait pas à le croire !

« Merci de m'avertir, cher inconnu, mais peux-tu me dire quel genre de crasse m'attend ? » écrivit-elle en retour.

Elle patienta une minute, puis deux. Il n'allait certainement pas pousser la sainteté jusqu'à lui répondre. Pourtant, un nouveau message apparut soudain :

« Je n'en sais pas plus. Je voulais juste te prévenir. Salut. »

Elle ne se risqua pas à lui renvoyer un commentaire, de peur de l'effrayer davantage. S'il désirait rester anonyme, c'était qu'il n'avait pas la conscience tranquille. Certes, il ne brillait pas par son intelligence, mais sa gentillesse ne faisait aucun doute. Et surtout, il était super mignon.

Les choses ne s'annonçaient décidément pas comme prévu ! Finalement, elles prenaient même un tour intéressant. Elle aurait dû se douter que les Cheerios allaient vouloir se venger d'elle. Elle avait fait un tel scandale avec cette histoire de vote ! Voilà pourquoi elle n'avait pas reçu de granité à la figure après ça ! Les pom-pom girls guettaient une meilleure occasion de l'humilier.

Mais Rachel n'arrivait pas à s'inquiéter. La joie causée par le message de Finn lui faisait oublier toute menace. Elle décida de se mettre en tenue de nuit pour mieux réfléchir au problème. Se sentir à l'aise dans un vêtement lui permettait un maximum de concentration. Elle sortit de son armoire un pyjama à rayures roses et blanches soigneusement plié et l'enfila après avoir jeté ses vêtements dans son panier à linge sale.

Elle avait deux solutions : soit elle prévenait les membres du groupe, soit elle gardait ça pour elle.

Dans le premier cas, ses camarades risquaient de vouloir purement et simplement annuler le concert. Elle devait se rendre à l'évidence : pas un seul ne possédait sa combativité, et ils refuseraient d'affronter un quelconque danger. C'étaient de vraies poules mouillées.

Dans la seconde option, elle faisait comme si de rien n'était et gardait la possibilité de se servir du concert comme d'un tremplin. Elle adorait être le centre d'attention et ne comptait pas se priver de ce plaisir, quels qu'en soient les risques. Elle était née pour ça. L'autre fois, lorsqu'elle s'était rendu compte de la présence de Finn dans l'auditorium, la joie l'avait submergée.

Elle ferma les yeux pour mieux s'imaginer le parquet de la scène sous ses pieds. Elle entendait déjà les chuchotements de la foule qui attendait avec impatience que le spectacle commence. Soudain, le silence se faisait : les artistes apparaissaient.

Tout le monde a les yeux braqués sur elle lorsqu'elle se met à chanter. Jamais ils n'ont entendu si belle voix. Comment n'avaient-ils pas remarqué plus tôt cette fille géniale ?

Elle n'eut pas l'ombre d'une hésitation : « *The show must go on.* »

Vendredi matin, lycée McKinley

À la seconde où la sonnerie retentit, Tina attrapa sa besace ornée d'une tête de mort pour se ruer vers la sortie du labo. Elle avait biologie trois fois par semaine à la même heure, c'est-à-dire juste avant le déjeuner. Au programme : dissections. On pouvait rêver mieux pour mettre en appétit ! Mercedes non plus n'était pas fan de cette matière. D'ailleurs, elle avait gagné la porte encore plus vite que Tina.

— Quelle idée de vouloir à tout prix nous apprendre à charcuter ces bestioles ! se plaignit-elle en s'éventant frénétiquement avec son calepin. On n'a même pas fini le lycée, ça devrait pas être enseigné. Et puis, pas besoin de voir ces horreurs en direct. Les cours de dissection sur Internet, ça existe ! J'en ai vu une, hier soir. L'image, c'est largement suffisant, non ?

Elle n'avait pas l'air dans son assiette. Tina crut même remarquer que son visage avait légèrement viré au vert.

La jeune gothique avait bien proposé à son amie de se charger du scalpel, mais le professeur, M. Rochna, avait insisté pour que Mercedes enlève elle-même les reins du batracien. Mercedes avait failli vomir sur la table.

— Ça ne change pas grand-chose, objecta Tina.

— Tu crois vraiment ? Au moins, t'as pas l'odeur. Maintenant mes doigts puent les boyaux de grenouille. Je vais rien pouvoir avaler.

Tina se mit à rire. Les dissections ne la dérangeaient pas trop. Elle trouvait même plutôt intéressant de découvrir comment fonctionnaient les êtres vivants. Même si les petites bêtes utilisées lui semblaient assez dégoûtantes, avec leurs pattes immenses. Elles étaient bien plus grosses que celles qui nageaient dans la mare de son jardin ou dans le bassin à carpes des voisins.

— En fait, je ne déjeunerai pas ce midi, déclara-t-elle à Mercedes. Je participe à une réunion pour confectionner des décors.

Son amie s'arrêta net. Les yeux lui sortaient de la tête. Incroyable ! Tina avait décidé de s'investir dans une activité de groupe !

— Quoi ? J'ai dû mal entendre. Répète un peu.

Son amie s'exécuta, mais cette fois en bégayant.

— C'est pour décorer le gymnase, c'est ça ? devina Mercedes.

Elle s'était décidée à reprendre sa marche à la vue de types qui faisaient tournoyer un cadavre de grenouille, derrière elle.

— Mon Dieu ! Vivement que je me barre de ce lycée ! soupira-t-elle.

— Complètement d'accord, lança Tina, bien contente de cette diversion.

Mercedes avait toujours un avis sur tout et ne manquait jamais de le faire connaître. Si elle lui disait qu'elle trouvait son idée mauvaise, Tina risquait de se laisser influencer.

— Je crois que je vais bien me plaire, dans ce club, se hâta-t-elle d'ajouter.

Mercedes approuva d'un signe de tête. Ses grands yeux noirs fixèrent son amie.

— Fais gaffe à ce que personne ne te marche pas sur les pieds, lui conseilla-t-elle.

Arrivée au lieu du rendez-vous, Tina s'arrêta sur le seuil. La pièce ne présentait aucune originalité : c'était une salle de sport comme les autres, pourvue d'une rangée de gradins tout le long du mur. D'une hauteur sous plafond vertigineuse, elle bénéficiait de grandes baies vitrées opaques et de tout un arsenal de structures métalliques ayant pour seul but d'abaisser et de remonter les paniers de basket. Y régnait une odeur de sueur et de caoutchouc. Ce mélange rappelait à l'adolescente l'école primaire : à cette époque-là, elle jouait, bien malgré elle, à la balle au prisonnier. Il ne se passait pas une partie sans que le projectile ne l'assomme à moitié. Et elle pouvait affirmer à ceux qui osaient dire le contraire que – si ! – ça faisait mal de recevoir cette petite chose en pleine figure.

Elle inspira un grand coup pour combattre son envie de détaler à toutes jambes.

À l'extrémité des gradins, elle aperçut un groupe. Il était constitué d'une majorité de Cheerios et de filles qui aspiraient visiblement à le devenir. Aucun garçon en vue, seulement une dizaine de lycéennes, pour la plupart occupées à consulter leur téléphone ou à écouter leur iPod. D'énormes boîtes en carton en piteux état étaient posées par terre. On aurait cru qu'elles avaient séjourné au moins deux cents ans dans une cave. Pour compléter le tableau, trois des participantes se faisaient mutuellement des tresses.

C'était donc ça, le club chargé des décors ? Contre toute attente, cette vision lamentable – qui laissait deviner une extrême nullité – renforça la motivation de Tina. Ces filles avaient cruellement besoin d'elle.

Elle s'avança vers la petite bande. Tout le monde avait le regard rivé à ses Doc Martens qui crissaient sur le sol. Pourquoi se croyaient-ils obligés de le lustrer autant ? Elle aurait pu faire du patin à glace dessus. Se concentrant pour ne pas trébucher, elle atteignit les gradins après un temps qui lui parut une éternité. Elle s'installa en contrebas.

— Sa… salut, bredouilla-t-elle, intimidée par les paires d'yeux braquées sur elle. Je suis venue pour la réunion.

— O.K., répondit Santana Lopez en échangeant un regard avec Kirsten Niedenhoffen, une pom-pom girl blonde et plantureuse, mise au régime par Sue Sylvester.

Elle devait perdre quatre kilos si elle voulait rester au deuxième niveau de la pyramide de l'équipe.

— On allait justement commencer, déclara Kirsten d'un ton autoritaire.

Elle s'était portée volontaire pour diriger le club.

— Comme tout le monde le sait ici, continua-t-elle, le bal qui arrive fait partie des événements les plus importants du lycée. Il est donc primordial que les décors soient absolument géniaux.

Santana jeta un coup d'œil à la nouvelle venue. Elle portait un collant noir troué aux genoux, un débardeur blanc et une jupe écossaise noire et bleue assortie à sa chevelure. Ses bottines ressemblaient à des chaussures militaires. Elle ne savait donc pas que le look gothique était complètement ringard ? Et puis d'abord, qu'est-ce qu'elle fichait là ? Santana avait bien dit à Kirsten qu'il ne fallait pas faire de pub pour cette réunion. Ça leur aurait évité de voir débouler n'importe qui.

Pendant que Kirsten continuait son discours d'ouverture, Tina en profita pour examiner la salle. Difficile pour elle de l'imaginer autrement que comme un lieu de brimades perpétuelles. La prof de gym, Mme Tuft, insistait toujours pour que l'adolescente serve, au volley, en dépit de son peu de dispositions pour ce sport : au lieu de franchir le filet, le ballon allait immanquablement heurter la tête d'une de ses coéquipières.

Elle tenta de se représenter la pièce une fois transformée en salle de bal. Des lumières tamisées contribueraient à créer une ambiance romantique. Peut-être même que des rayons de lune, passant à travers les baies vitrées, viendraient éclairer les couples enlacés sur la piste de danse. Elle voyait bien des ornements dorés et argentés suspendus au plafond qui rappelleraient les astres solaire et lunaire.

— Qui veut se charger de décorer l'estrade où le roi et la reine seront couronnés ? demanda Kirsten. J'imagine que tout le monde se rend compte de l'importance de cette tâche !

Tina imita les Cheerios qui levèrent la main. Même si elle se fichait pas mal du couronnement, elle voulait paraître motivée.

— Très bien. Alors, Alice, Olivia et Olivia K. vous vous occuperez de ça, décida Kirsten avant de se replonger dans sa liste de choses à faire. Ensuite, reprit-elle, qui veut réfléchir à ce qu'on pourrait mettre au-dessus de la piste, du genre lumières ou banderoles ?

Tina se porta de nouveau volontaire mais Kirsten, feignant de ne pas la remarquer, désigna quelqu'un d'autre.

— Il nous reste à trouver une astuce pour cacher cet horrible plafond, continua-t-elle.

Elle proposa d'emblée cette mission aux quelques candidats qui restaient et leur demanda de se mettre immédiatement au travail. Puis elle reçut un texto qui détourna son attention.

Tina jeta un regard à la ronde : personne ne semblait prendre sa tâche au sérieux. Kirsten elle-même était absorbée par la rédaction d'un SMS. La jeune fille profita du désintérêt général pour aller explorer les vieilles boîtes. Elles étaient couvertes de moisissure et sentaient l'humidité. Tina ouvrit l'une d'elles pour y découvrir des palmiers en carton et des silhouettes d'Hawaïennes. Pas terrible.

Elle eut davantage de chance avec la deuxième caisse : elle contenait des centaines d'étoiles – un peu défraîchies, certes – de tailles variées : il y en avait d'énormes, quasiment aussi grandes que leur contenant, et des minuscules, toutes délicates. Elles avaient été découpées dans un papier épais qui s'était gondolé avec le temps, et le doré qui les recouvrait s'était écaillé par endroits. Pourtant, Tina les estima réutilisables : il suffirait de les défroisser un peu, puis de les recouvrir d'une jolie peinture brillante.

Elle retrouva soudain son enthousiasme : c'était l'occasion rêvée pour rendre sa participation précieuse.

Une étoile à la main, elle se dirigea vers Kirsten, qui discutait avec Santana en mâchonnant un bâton de carotte.

— Tu m'autorises à a… arranger ces dé… décorations ? lui demanda-t-elle. Il y en a tout un car… ton. On… on pourrait en sus… pendre un peu par… partout, non ?

Kirsten lui sourit aimablement :

— C'est ça, lui répondit-elle du ton ennuyé qu'elle employait pour s'adresser à son petit frère. Tu n'as qu'à t'en occuper.

Tina perçut le léger dédain dans sa voix mais elle s'en fichait. Une seule chose lui importait : la réaction d'Artie quand il verrait la salle de gym métamorphosée grâce à son travail. Il la complimenterait à nouveau sur sa créativité et lui dirait à quel point il la trouvait extraordinaire.

— Pauvre fille, souffla Kirsten en regardant Tina s'éloigner dans ses bottines démodées. Comme si on allait faire tout ce qu'elle nous dit.

L'adolescente retourna fouiller la boîte avec empressement à la recherche d'autres joyaux. Tout au bonheur d'en exhumer les moins abîmés, elle se mit à fredonner.

Santana ne la quittait plus des yeux : elle était persuadée de l'avoir vue quelque part, même si elle ne faisait pas attention à ce genre de loseuses, d'habitude. Mais oui ! ça lui revenait à présent : l'autre fois, en passant devant la salle de musique, elle avait entendu des gens chanter une vieille comédie musicale à deux sous que son père adorait au point d'en déclamer des tirades entières à sa mère. La pom-pom girl avait passé la tête par la porte pour découvrir un spectacle pitoyable : Rachel Berry, cette fille détestable, harcelait une poignée de lycéens en les obligeant à répéter encore et encore le même passage. La gothique participait à la répétition.

— Elle est dans le groupe Glee, murmura-t-elle à l'oreille de Kirsten.

— Nooooon ! souffla celle-ci en roulant des yeux. Qu'est-ce qu'on fait ?

— J'ai une idée, répondit son amie en sautant sur ses pieds.

À côté des caisses que le concierge avait sorties de la cave pour elles – il leur avait permis de prendre tout ce qu'elles voulaient et de jeter le reste – se trouvait une machine à fumée. Les Cheerios l'avaient testée la veille pendant l'entraînement en répétant sur « Don't Phunk with My Heart » des Black Eyed Peas. Le résultat avait été désastreux : d'énormes nuages les avaient quasiment intoxiquées. Elles s'étaient toutes mises à tousser, et Sue Sylvester avait dû leur accorder, bien malgré elle, cinq minutes de répit, le temps que le gaz se dissipe. Et tout ça s'était passé dehors… Santana n'osait imaginer les dégâts que cet engin occasionnerait à l'intérieur, sur la scène d'un auditorium, par exemple, où une petite peste et ses amis essaieraient laborieusement de chanter. Quinn et elle avaient décidé de le mettre en marche pendant le concert, mais ce serait encore mieux si Tina la faisait fonctionner elle-même.

Elle ramassa l'appareil et se dirigea vers sa victime en s'efforçant de prendre un air bienveillant.

— Hé ! appela-t-elle – elle ne connaissait pas son nom – tu participes au spectacle de ce soir, pas vrai ?

Sous le coup de la surprise, Tina laissa échapper les étoiles qu'elle avait collectées. Elle se pencha pour les ramasser et, à son grand étonnement, Santana lui vint en aide. De sa main libre, la pom-pom girl tenait un petit engin.

— Oui... a... avec Glee, confirma Tina.

— Tu pourrais peut-être avoir besoin de cette machine à fumée, dit Santana en essayant d'adopter un ton sympa.

Elle avait suivi quelques cours de théâtre – elle avait notamment incarné la « vieille dame au monocle » dans *Anything Goes* au printemps dernier, rôle dans lequel sa mère l'avait trouvée très convaincante.

— On l'a utilisée à l'entraînement, l'autre fois. L'effet est vraiment surprenant. Vous aurez l'air de professionnels si vous vous en servez pendant votre show.

Tina fixa un moment l'appareil que lui tendait Santana. Elle n'en croyait pas ses oreilles ! Ça lui ressemblait tellement peu d'être gentille !

Les Cheerios n'étaient peut-être pas si mauvaises que ça, finalement. Bon, elle ne l'avait pas franchement prise en considération depuis le matin mais, en même temps, Tina ne pouvait pas se plaindre d'avoir reçu un granité dans la figure ou d'avoir été maltraitée d'une quelconque façon. Santana l'avait même aidée à ramasser ses étoiles, ce que Tina n'aurait jamais imaginé. Et maintenant, elle poussait l'amabilité jusqu'à lui prêter son matériel !

— C'est… c'est vrai… vraiment sympa, merci, bredouilla Tina en remettant les décorations dans leur boîte pour attraper la machine.

Elle se représentait déjà l'effet produit : une épaisse fumée envahirait lentement la scène. Soudain, le groupe émergerait du nuage dans leurs tenues à strass. Magnifique !

— De rien, répliqua Santana en pivotant sur la pointe de ses baskets.

Les choses tournaient encore mieux qu'elle l'avait espéré. Rachel Berry comprendrait enfin à qui elle avait affaire. Et peut-être qu'à partir de ce moment-là, elle s'écraserait définitivement.

Vendredi soir, auditorium du lycée

La tension était palpable en ce soir de représentation. Les membres de la chorale se serraient dans les coulisses en attendant le moment de monter sur scène. L'absence de loges les obligeait à s'entasser avec les musiciens, qui faisaient leur possible pour éviter que les cordes des lourds rideaux bordeaux ne se prennent dans leurs guitares. D'autres soufflaient dans leur saxophone ou leur clarinette pour les roder. Un type aux cheveux châtains et crépus, Jacob, faisait office de régisseur : un bloc-notes à la main, il s'assurait de la présence de chacun. Sa chemise bleue à manches courtes était déjà auréolée de transpiration sous les bras.

Rachel se tenait adossée à un panneau représentant une datcha perdue dans la campagne. Il avait servi au décor d'une lointaine représentation d'*Un violon sur le toit*. L'adolescente, après avoir soigneusement inspecté les moindres recoins à la recherche de Cheerios susceptibles de leur jouer un sale tour, avait dû se rendre à l'évidence : aucune présence suspecte n'était à craindre. Finn s'était sûrement trompé. Après tout, ce n'était pas une lumière et il avait sans doute compris de travers.

Ou alors, les pom-pom girls s'étaient dégonflées. De toute façon, Rachel ne voyait pas ce qu'elles pouvaient lui faire de plus : sa réputation était déjà suffisamment mise à mal comme ça. La preuve : les murs des toilettes, couverts d'inscriptions injurieuses et de rumeurs mensongères à son égard. Ce n'était peut-être qu'une tentative de plus pour semer le trouble dans son esprit. Oui, c'était sûrement ça. Elle n'avait aucune raison d'avoir peur.

Elle ferma les yeux et fit vibrer ses lèvres en soufflant.

— Brbrbrbrbr.

— Je rêve ou elle essaie d'embrasser l'Homme invisible ? chuchota Kurt à Mercedes.

Sa chemise élégante et son jean moulant Armani lui donnaient de l'assurance. Il n'avait pas suffisamment baissé la voix.

— C'est une technique que m'a apprise mon prof de chant, répliqua Rachel en se tournant vers le jeune homme. Ça s'appelle « faire triller ses lèvres » et c'est super efficace pour s'échauffer la voix, en particulier avant un concert.

Son regard se posa successivement sur Kurt, Mercedes et Artie.

— Vous devriez tous essayer cet exercice, conseilla-t-elle.

Mercedes lui tourna ostensiblement le dos. Qu'est-ce qu'elle pouvait l'agacer, celle-là, avec son ton autoritaire ! Mais il n'était pas question de perdre son sang-froid maintenant.

— Où est Tina ? demanda-t-elle.

La nervosité la gagnait d'autant plus que son amie brillait par son absence. Elle eut soudain un moment de panique en repensant à ce qui était arrivé l'année précédente au cours d'espagnol de M. Schuester : Mercedes et Tina étaient censées jouer dans *Los Tres Cerditos – Les Trois Petits Cochons*. Alors que Mercedes sautait de joie à l'idée d'interpréter le deuxième petit cochon, Tina, terrifiée de se montrer en public – quand bien même son rôle se bornait à incarner un arbre et, qui plus est, devant des élèves de primaire – n'était pas venue le jour de la représentation.

— J'espère qu'elle ne va pas nous refaire le coup de l'année dernière, se plaignit Mercedes.

— J'ai l'impression que tout est en train de tomber à l'eau, commenta Kurt d'un air absent. Je préférerais encore partir maintenant plutôt que de me payer la honte devant le lycée au grand complet.

— Elle ne va pas tarder, lança quelqu'un qui trébucha contre le fauteuil d'Artie.

Celui-ci heurta une table en reculant. Dessus, un bouquet de fleurs artificielles planté dans un vase en plastique vacilla.

— Sympa, vos costumes.

Jacob avait surgi à la droite de Rachel, tout contre elle, au point qu'elle reçut les effluves de son déodorant en plein nez. Pourtant, à en juger par les énormes auréoles qui s'étaient formées sous ses bras, il n'avait pas assez forcé sur la dose. Elle fit un pas en arrière.

— Vous êtes super ! ajouta-t-il.

— Merci.

La jeune fille s'efforça de sourire à Kurt. Elle ne voulait pas froisser son camarade, qui avait sélectionné ces tenues avec soin. Elle refusait de l'admettre tout haut, mais le fait que tous les membres portent la même veste à strass leur donnait l'air un peu ringard.

Elle s'était décidée pour une minijupe noire qui découvrait ses belles jambes fuselées, qu'elle devait à la pratique intensive du vélo d'appartement. Même si la consigne imposait des vêtements sombres, ce qui limitait le panel, elle avait mis une heure pour les choisir. Elle voulait être parfaite pour cette première représentation devant son lycée, qui en annoncerait sans doute toute une série d'autres. Elle s'était finalement arrêtée sur son T-shirt à manches bouffantes et, en dessous, bien que personne ne soit censé la voir, sa lingerie blanche ornée d'étoiles dorées, en guise de porte-bonheur. Elle l'avait mise machinalement d'ailleurs, car elle savait qu'elle n'en aurait pas besoin : ils allaient se surpasser, c'était évident !

— T'es sincère ? Ça te plaît vraiment ? demanda Artie.

Il jeta un coup d'œil dubitatif à sa tenue : un T-shirt noir et des bretelles assorties sous une veste à strass qui brillaient de tous leurs feux. Un peu trop, à son goût. Ce n'était peut-être pas une si bonne idée d'avoir laissé à Kurt le soin de leurs costumes. Après tout, ce type s'était un jour pointé avec un manteau en peau de lapin…

— Je crois avoir déjà vu ma tante Linda dans ce genre de gilet… se plaignit-il.

— C'est qu'elle doit s'y connaître en fringues, alors, rétorqua Kurt en haussant les épaules.

C'est vrai, il fallait un minimum d'assurance pour porter le total look paillettes sans paraître ridicule.

— On est super comme ça, déclara-t-il.

— Rachel, crois-moi, ce gilet met en valeur tes plus beaux attributs, ricana Jacob en ajustant ses lunettes.

Quelle horreur ! Ce n'était pas parce qu'il était juif comme elle qu'il avait le droit de se montrer si grossier. Pauvre type ! Pourtant, elle avait tout intérêt à ne pas trop le vexer, vu qu'il relatait sur son blog les moindres événements du lycée. Un jour, il lui serait peut-être utile. D'ailleurs, il fallait apprendre dès maintenant à se faire aimer des médias. Et la chorale pourrait toujours tirer profit d'une bonne critique.

— Qu'est-ce qui t'amène, Jacob ? demanda Rachel, les bras croisés, en s'efforçant de ne pas paraître trop désagréable.

— Je vérifie que tout le monde est prêt, répondit-il en jetant un œil sur son calepin. Il manque quelqu'un ?

— Nous sommes tous là ! cria la voix de Tina.

La jeune fille bouscula un joueur de tuba en chapeau haut de forme.

— Désolée pour le retard, dit-elle, tout essoufflée. Mais je ne viens pas les mains vides.

Effectivement, elle avait apporté une boîte.

— Qu'est-ce que c'est que ça ? questionna Rachel en se tordant le cou pour en apercevoir le contenu.

Elle détestait les surprises.

— C'est une ma... machine à fu... fumée, annonça fièrement Tina. Je l'ai trouvée au milieu de vieux cartons pendant la séance de dé... décorations de ce midi.

— Incroyable ! s'émerveilla Rachel. Mon rêve de cette nuit était donc prémonitoire : je me retrouvais devant les élèves à chanter un air des *Misérables*, « On My Own », sous un brouillard qui rappelait les barricades des pavés de Paris.

Les yeux perdus dans le vague, elle se demanda comment cette mise en scène ne lui était pas venue à l'esprit. Voilà bien la première fois qu'elle ne pouvait pas s'attribuer le mérite d'une bonne initiative !

Kurt se pencha à l'oreille de Mercedes.

— Tu as noté : aucun de nous n'apparaît dans son rêve. Remarque, je suis plutôt soulagé de ne pas faire partie de ses fantasmes nocturnes.

— Ça a l'air plutôt cool, commenta Artie, mais qui va se charger de le mettre en marche ?

— Je peux m'en charger, se hâta de lancer Jacob.

L'excitation de Rachel à la vue de cet appareil ne lui avait pas échappé. Donner ce petit coup de main pourrait bien l'aider à conclure…

— J'ai servi de régisseur pendant les trois derniers spectacles. Je sais où se trouvent les prises électriques.

Tina lui tendit la boîte puis épousseta son gilet à strass. Elle portait une jupe et de grandes chaussettes noires, sans oublier ses Doc Martens à boucle – ses préférées.

— Je vais vous montrer comment ça marche, proposa-t-elle.

Jacob et les autres la regardèrent installer la machine, qui se mit en marche aussitôt branchée.

— Il suffit de la diriger vers la scène puis d'appuyer sur le... le bou... bouton rouge toutes les dix secondes pour éviter que la fumée ne soit trop abondante.

Elle leva les yeux vers Jacob.

— Tu es sûr de pouvoir t'en occuper ? demanda-t-elle d'un air hésitant.

Autour d'eux, c'était l'effervescence : des élèves se bousculaient pour s'affairer aux derniers réglages du son. Les membres de la chorale s'étaient écartés de leur passage et regardaient Rachel effectuer ses exercices bizarres pour s'échauffer la voix. Finalement, ce spectacle arriva presque à les apaiser.

Jacob se perdit dans la contemplation de l'adolescente, occupée de nouveau à faire triller ses lèvres. Trop sexy ! Il passa la langue sur sa bouche pour l'humidifier.

— Absolument, répondit-il à Tina.

Enfin, l'heure sonna pour le groupe de jazz d'entrer en scène. Ils devaient interpréter « In the Mood » de Glenn Miller. Ce fut à ce moment précis que les membres de la chorale prirent pleinement conscience de la situation : bientôt ce serait leur tour. Artie se mit à souffler dans ses mains pour tenter de se calmer.

— Ça va, Artie ? lui demanda Tina, inquiète de son teint livide.

— Je... Je crois qu'on s'est trop précipités pour participer à ce spectacle.

Il baissa le regard sur son gilet de scène. Il se serait senti bien mieux dans une chemise blanche classique. Cette tenue, cette représentation, tout le mettait atrocement mal à l'aise.

— On a à peine répété… Franchement, vous ne pensez pas qu'on va se taper la honte ?

La panique submergea aussitôt Tina. Elle éprouvait une sensation d'étouffement qu'elle ne connaissait que trop bien : ça lui rappelait toutes les fois où sa sœur aînée s'était assise sur elle pour lui chatouiller le ventre jusqu'à ce qu'elle devienne toute bleue. Comment trouverait-elle la force de chanter avec cette horrible impression, qui plus est devant une foule de gens ?

— Artie n'a pas tort, approuva-t-elle en se tournant vers les autres.

— Écoutez, je propose de partir pendant qu'il est encore temps, déclara Mercedes. Si on reste, on court à la catastrophe.

Elle s'imaginait déjà bien à l'abri, dans son salon, confortablement installée dans l'immense canapé familial à regarder la télé.

— On pourrait tous aller chez moi mater *High School Musical* pour se foutre des personnages. Qu'est-ce que vous en dites ?

— Pas question de se moquer de Zac Efron, s'opposa Kurt. J'adore sa coiffure.

Rachel les fixait, bouche bée.

— Non, mais je rêve ! Comment osez-vous vous défiler maintenant ? C'est ce genre de mentalité qui vous a empêchés jusqu'à maintenant de devenir une chorale digne de ce nom.

Elle respira un grand coup. Le simple fait d'attendre en coulisses son heure de gloire la transportait de joie. Tout, autour d'elle, lui donnait un avant-goût de son triomphe prochain : les feux des projecteurs qu'elle apercevait d'ici, les applaudissements polis qui avaient suivi le morceau d'entrée, le panneau lumineux indiquant la sortie au-dessus des grandes portes, au fond de la salle.

— On est morts de trouille, s'excusa Mercedes.

Rachel la coupa net :

— Tout le monde a le trac, figure-toi. Il faudra faire avec. Comme a dit Cher : « Si vous n'êtes pas prêts à prendre des risques, vous n'atteindrez jamais vos rêves. »

Contre toute attente, ses paroles agirent comme un coup de baguette magique : la respiration d'Artie reprit un rythme normal, Tina n'eut plus l'impression de suffoquer, et les deux autres, Kurt et Mercedes, hochèrent la tête d'un signe d'approbation.

— À vous ! aboya Jacob.

Le groupe Justice Apocalyptique venait de passer, si on pouvait désigner par le mot « groupe » deux personnes.

— Allez, ouste ! continua Jacob. Les gens s'impatientent.

Rachel n'eut pas une seconde d'hésitation. Elle précéda ses camarades sur la scène obscure.

On ne pouvait pas dire que la salle était pleine à craquer. Le public était principalement composé de familles venues admirer leurs enfants ou leurs frères et sœurs. Quelques professeurs et une poignée de lycéens les accompagnaient. La jeune fille remarqua immédiatement ses parents, assis à gauche. Son père Hiram avait déjà la caméra à la main.

Mais une personne manquait à l'appel : Finn. Qu'est-ce qui pouvait justifier son absence ? Il l'avait prévenue d'un éventuel coup bas et, logiquement, il aurait dû venir s'assurer qu'elle n'était pas victime d'un quelconque complot. Avec un peu de chance, le fait de la voir sur scène lui rappellerait leur tête-à-tête mémorable.

Les premières notes s'élevèrent. Aussitôt, les membres du groupe apparurent dans la lumière des spots, entourés d'un brouillard du plus bel effet. Ils se mirent à chanter. Rachel n'était pas peu fière de Tina : quelle brillante idée d'avoir apporté cette touche de professionnalisme ! Tout à l'interprétation de « Tonight », aucun d'entre eux ne s'aperçut de la présence de Cheerios à proximité de la scène. À pas de velours, elles s'approchèrent des coulisses pour s'y engouffrer.

Rachel ne trouvait pas ses camarades si mal, finalement. On ne pouvait certes pas encore les considérer comme des stars, mais ils s'étaient nettement améliorés depuis qu'elle les avait rejoints. Petit à petit, ils prenaient même de l'assurance. On y était presque !

La fumée devenait vraiment opaque. Pourtant, Tina avait bien insisté pour que Jacob éteigne la machine toutes les dix secondes afin d'éviter que les chanteurs ne soient noyés dans la brume. De toute évidence, il avait oublié les consignes : l'épais nuage gagnait dangereusement du terrain, rendant la visibilité quasi inexistante. Tina faillit perdre l'équilibre en trébuchant sur le repose-pieds du fauteuil d'Artie. Elle se rattrapa de justesse pour tenter de reprendre le fil de la chorégraphie. Ce qui ne s'avérait pas si simple, vu la purée de pois qui régnait : impossible de distinguer ses camarades.

Rachel continuait à chanter sans se décourager. Elle risqua un coup d'œil en arrière pour essayer de comprendre la situation. Jacob se trouvait bien à son poste. Seulement, il n'était pas seul. À côté de lui, sa chevelure blonde lâchée en cascade sur ses épaules, se tenait Brittany. Vêtue de sa minuscule jupe de pom-pom girl, elle s'appliquait sensuellement du gloss sur les lèvres. On aurait dit une de ces pubs pour de la bière, où une fille hyper sexy était filmée au ralenti. D'ailleurs, Jacob semblait hypnotisé par la créature.

Rachel luttait pour ne pas tousser. Tina, quant à elle, avait cessé de chanter pour se racler la gorge. La meneuse du groupe s'avança vers le devant de la scène, où l'air était plus respirable, espérant que les autres l'imiteraient.

Erreur fatale ! Kurt, aveuglé par la fumée, rencontra le vide sous ses pieds en voulant suivre Rachel. Il disparut dans l'orchestre pour atterrir dans un énorme fracas sur une batterie. Artie, éjecté de son fauteuil, alla rouler sur les orteils de Tina, qui poussa un cri perçant. Et Mercedes, en voulant porter secours à Kurt, perdit l'équilibre et plongea la tête la première à sa suite.

Seule Rachel, imperturbable, s'obstinait à continuer.

« *What you are, what you do, what you say.* »

Elle parvint même à achever la chanson. L'entraînement intensif imposé à ses cordes vocales se révélait payant. L'absorption de substances toxiques l'avait bien un peu gênée, mais elle avait tout de même réussi.

Au fond de l'auditorium, un groupe constitué de Cheerios et de footballeurs se tordait de rire. Les maigres applaudissements n'arrivèrent pas à couvrir les gloussements hystériques des filles. Enfin, les types se mirent à taper bruyamment dans leurs mains de manière ironique.

Tina, morte de honte, aida Artie à atteindre son fauteuil, et tous deux regagnèrent les coulisses sans demander leur reste. Kurt et Mercedes, dans l'orchestre, ne purent immédiatement se soustraire à la vue du public. Ils durent d'abord se frayer un chemin parmi les instruments de musique, se cognant à tout bout de champ.

Rachel, quant à elle, avait l'impression de marcher au ralenti dans cette épaisse fumée. Battant l'air des mains pour la dissiper, elle tentait d'avaler sa défaite. Vrai, on s'était une nouvelle fois moqué d'elle. Elle avait l'habitude. En revanche, ses camarades étaient beaucoup plus vulnérables. Ils n'avaient pas son mental d'acier. Quand elle se fixait un défi, elle inspirait un grand coup et fonçait tête baissée. Mais d'après ce qu'elle avait constaté pendant toute cette semaine, les autres membres de la chorale agissaient à l'opposé. Ils étaient du genre à baisser les bras tout de suite.

Dans ces circonstances, il y avait de bonnes chances pour que le groupe ne fasse pas long feu.

Lundi matin, salle de musique

Après un week-end passé à se lamenter sur son sort, Rachel convoqua ses amis par texto, le dimanche soir, pour le lundi matin. Rendez-vous fut donné dans la salle de musique. L'humiliation causée par les Cheerios l'avait anéantie plus qu'elle ne l'aurait pensé, elle devait bien l'admettre, et elle n'avait pas trouvé la force de prendre contact plus tôt avec ses camarades. Pour se réconforter, elle avait passé son samedi à regarder *Une étoile est née* et *Grease*, ses films préférés, confortablement installée dans le canapé du salon, en pyjama de flanelle, du pop-corn à portée de main.

Puis elle avait fait le point sur le spectacle : certes, le bilan était désastreux, vu que ses amis s'étaient mis à cracher leurs poumons avant même la fin de la chanson. Mais la vidéo que son père Hiram avait tournée – avant de devoir quitter la salle à cause de son asthme – l'avait un peu réconfortée, vu les prestations peu glorieuses des autres artistes. Les musiciens de jazz s'étaient avérés plus que médiocres, et les trois types qui s'étaient lancés tant bien que mal dans l'interprétation du dernier tube du groupe The Fray avaient accumulé les fausses notes à la guitare. Quant aux deux membres de Justice Apocalyptique, en leur qualité de footballeurs du lycée, ils avaient été massivement applaudis, mais pour des raisons qui ne tenaient absolument pas à leur talent. Leurs familles semblaient manifester de cette façon leur gratitude : enfin, ils cessaient de leur martyriser les oreilles. Les élèves, eux, avaient d'autres critères : ils félicitaient quiconque était comme eux en mesure de leur indiquer les meilleures soirées.

En entrant dans la salle de musique, les mines défaites des membres de Glee indiquèrent à Rachel l'ampleur du travail à réaliser.

— D'accord, lança-t-elle, les événements ne se sont pas déroulés exactement comme on l'aurait voulu, mais c'était quand même un bon début.

Kurt bondit sur ses pieds.

— T'es sûre que t'étais là pour dire ça ?

Il avait rasé les murs en venant, le regard dissimulé par des lunettes noires qu'il venait seulement d'ôter, dans l'espoir que les footballeurs ne le reconnaissent pas.

— O.K., le résultat n'est pas super, continua Rachel. Pourtant, j'ai regardé la vidéo de mon père, et je vous assure qu'on avait l'air bons…

Elle s'arrêta un instant pour humer l'air : est-ce que ça ne sentait pas encore la fumée, quelque part ?

— … Enfin, pendant dix secondes.

— Dix secondes ! s'indigna Mercedes.

En traversant les couloirs du lycée, elle avait eu l'impression que les élèves chuchotaient derrière son dos. Même si peu de gens avaient assisté au spectacle – à son grand soulagement –, elle se doutait bien que les Cheerios avaient raconté leur mésaventure à qui voulait l'entendre.

— Tu es censée nous remonter le moral ?

Artie et Tina échangèrent des regards consternés. Quant à Kurt et Mercedes, ils semblaient vouloir se jeter à la gorge de Rachel. Pourtant, Artie était secrètement impressionné par sa faculté à rebondir. Avec sa jupe écossaise jaune et marron, son col roulé blanc, ses longues chaussettes et son béret chocolat, elle faisait penser à la jeune Alice Roy, cette détective si déterminée : elle semblait prête à soulever les montagnes. Il jeta un coup d'œil à Tina, occupée à siroter un café.

— Comme a dit Cher… commença Rachel en joignant les mains.

Mercedes la coupa net :

— J'en ai marre de tes proverbes à la noix. On n'aurait jamais dû t'écouter. Apparemment, te ridiculiser ne te dérange pas, mais tu n'avais pas à nous entraîner dans ce fiasco.

— Quoi ? cria Rachel. C'est moi que tu accuses ?

Elle regarda attentivement les visages fermés de ses camarades, puis se rendit à l'évidence : ils lui en voulaient, tous, à elle ! Voilà comment ils la récompensaient de ses efforts. Quelle ingratitude !

— Tu nous as imposé un entraînement horrible dans le seul but de satisfaire tes rêves de gloire, intervint Kurt. Résultat : on s'est payé la honte, comme prévu.

Il s'interrompit pour dévisser sa bouteille d'eau et en boire une gorgée. Sa vilaine peau témoignait du week-end d'angoisse qu'il avait passé : un énorme bouton était en train de se former sur sa joue gauche.

— Sans toi, on aurait tout annulé à temps, conclut-il.

— Au moins, avant que tu viennes, on était conscients de nos limites, ajouta Artie.

Il était d'accord avec Kurt et Mercedes sur certains points, et celui-ci en particulier : ce n'était pas parce que Rachel chantait bien qu'elle était une bonne meneuse. Elle n'avait fait aucun effort pour les comprendre.

— Vous êtes vraiment injustes, se plaignit Rachel.

C'était comme une claque en pleine figure. Même Artie s'y mettait !

— Je vous ai entraînés dur pour votre bien !

Pour elle, leur défaite était la conséquence d'un manque d'entraînement. Elle croyait dur comme fer au dicton : « Quand on veut, on peut. »

Et surtout, elle refusait d'admettre qu'elle était responsable de la catastrophe, au moins en partie. La vérité se trouvait au fin fond de sa conscience : elle avait refusé de prendre au sérieux la mise en garde de Finn. Et maintenant, elle se doutait bien que les Cheerios n'étaient pas étrangères à leur malheur. Elle était même persuadée que les pom-pom girls avaient donné cette machine à Tina. Si seulement elle avait parlé aux autres de ses soupçons… Son amie se serait rendu compte que leur « cadeau » n'était qu'un moyen pernicieux de se venger de Rachel. Mais celle-ci refusait de se remettre en question.

Faisant taire ses scrupules, elle se tourna vers Tina.

— Au fait, est-ce que tu as vraiment *trouvé* cet appareil ?

Tina écarquilla des yeux.

— Pas… pas vraiment, c'est Santana qui me l'a prêté.

— Et ça ne t'a pas traversé l'esprit que c'était bizarre de sa part ? demanda Rachel en levant les bras au ciel.

Quelle naïveté ! Tina n'avait donc toujours pas compris le principe du ghetto social en vigueur dans ce lycée ? Comme si une fille aussi populaire qu'une pom-pom girl pouvait s'abaisser à aider un membre de la chorale !

— Non… bredouilla Tina, le regard baissé sur ses chaussures. J'ai cru qu'elle était devenue gentille.

— Gentille ? s'étrangla Rachel, furieuse. Quelle mouche t'a piquée de vouloir te mêler à ces filles ? Mets-toi bien ça dans le crâne : elles sont bêtes et méchantes, un point c'est tout. Ce qui s'est passé est entièrement ta faute.

— Là, tu dépasses les bornes, s'interposa Artie en faisant rouler sa chaise vers Rachel. Tina n'y est pour rien. L'hypocrisie de ces pom-pom girls dépasse l'imagination. Elle n'a pas vu clair dans leur jeu, il n'y a pas de quoi le lui reprocher !

Rachel sentit la moutarde lui monter au nez. Elle voyait bien qu'elle était en train de perdre la partie.

— Comme c'est curieux… lança-t-elle. Tu la défends… Et je vais te dire pourquoi, moi : t'es raide dingue d'elle. Ça crève les yeux !

— Ça suffit maintenant, ma vieille ! s'indigna Mercedes en se levant brusquement.

Elle s'approcha de Rachel d'un air menaçant.

— On ne t'a pas appris les bonnes manières, apparemment, continua-t-elle.

— Vous êtes tous jaloux de moi, c'est tout! se plaignit l'accusée.

Elle se trouvait dos au mur, à présent. Mais elle ne leur laisserait pas le plaisir de lui porter le coup de grâce. Ils la considéraient tous comme une coupable, c'était vraiment injuste, elle devait se défendre.

— De toute façon, vous étiez contre moi dès le premier jour.

— Mon Dieu! s'exclama Mercedes en se laissant retomber sur sa chaise.

Elle se couvrit le visage dans l'espoir que son envie d'étrangler Rachel disparaisse avec elle.

— Mais d'où vient-elle, celle-là? Est-ce que j'ai bien entendu?

— Je crois, hélas, confirma Kurt, les bras sur la poitrine.

— Écoutez, reprit Rachel. Vous êtes furieux simplement parce que je vous ai ouvert les yeux. Mais tout ce que dit Cher est la pure vérité : si vous abandonnez au moindre échec, vous ne serez jamais des artistes. Et c'est précisément ce qui vous arrive en ce moment, ajouta-t-elle tristement. Vous n'êtes pas des artistes : vous prenez beaucoup trop à cœur l'opinion des autres. C'est ridicule!

Elle s'apprêtait à citer Olivia Newton-John, mais elle se rendit compte que ça ne servirait à rien.

— Enfin, bref. Ça n'a plus aucune importance. Je ne vais pas vous embêter plus longtemps, de toute façon. Figurez-vous que j'envisage d'intégrer un lycée avec option arts. C'est dire que je n'ai besoin d'aucun d'entre vous!

Elle tourna les talons d'un air majestueux et disparut dans l'embrasure de la porte. S'il y avait bien une chose qu'elle maîtrisait, c'étaient les sorties théâtrales.

La semaine qui démarrait coïncidait avec les festivités habituelles de début d'année. À chaque jour correspondait un thème précis. Ce lundi était dédié aux années soixante-dix, comme le lui rappela un groupe de Cheerios, les unes en pattes d'éléphant et tuniques, les autres en robes outrageusement courtes. Elles ricanèrent au passage de Rachel.

— Super performance, pauvre tache, cracha l'une d'entre elles.

Elle se dirigea vers le bureau de la conseillère d'orientation, plus déterminée que jamais. Cette fois, elle irait jusqu'au bout.

— Mlle Pillsbury ? appela-t-elle en apercevant la jeune femme dans le couloir.

Armée de gants en caoutchouc bleu, elle décollait un chewing-gum de sa vitre à l'aide d'un grattoir.

— Je suis fermement décidée à changer de lycée, cette fois.

— Tu en es bien sûre, Rachel ?

La substance collante céda enfin et atterrit sur l'ustensile, que la conseillère dirigea précautionneusement vers la poubelle. Il fallait maintenant effacer les dernières traces avec du nettoyant, mais Rachel semblait si insistante ! Elle devait empêcher cette adolescente de faire n'importe quoi. Pourtant, cette auréole sur sa vitre l'obsédait. Elle ne se sentait pas la force de s'occuper de Rachel avec cette horrible chose sous les yeux.

— Oh, oui ! À deux cents pour cent, répondit celle-ci.

Mlle Pillsbury ne put retenir un petit soupir d'ennui en se dirigeant vers son étagère. Sans ôter ses gants, elle attrapa une pile de documentation pour la tendre à la jeune fille.

— Je crois que la plupart de ces établissements acceptent encore de nouveaux élèves, informa-t-elle.

Elle saisit sa bouteille de lave-vitres et déclara, avec une pointe de culpabilité :

— Si tu veux qu'on en parle, reviens plus tard, d'accord ?

— Merci.

Rachel serra contre elle les précieux documents comme une bouée de sauvetage. Elle traversa les couloirs grouillant de lycéens en pensant avec jubilation que son ticket de sortie se trouvait au milieu du tas. Il était grand temps de l'utiliser, maintenant !

Un type vêtu d'un blouson de sportif venait justement de balancer un camarade, plus petit, contre une rangée de casiers. Il reprit ensuite tranquillement sa route en sirotant son granité comme si de rien n'était. Certes, chaque lycée possédait son code social. Mais aucun n'arrivait au niveau de McKinley en matière d'imbécillité. Si seulement la hiérarchie était fondée sur le talent des élèves ! Dans ce cas, Rachel régnerait sur tous les autres !

Tout à coup, elle le vit. Finn. Appuyé à son vestiaire, il tenait un manuel de maths à la main. Ses cheveux humides laissaient deviner qu'il sortait de sa douche. Il portait un T-shirt un peu usé au col.

Rachel s'arrêta net. À ce moment précis, le jeune homme leva les yeux sur elle. Il lui adressa un bref sourire, puis s'en alla.

La colère lui avait fait oublier son existence. En quittant ce lycée, elle tirait un trait définitif sur lui. Même si elle ne misait pas beaucoup sur la perspective de l'embrasser un jour, elle ne perdait rien à essayer. Et pour cela, elle devait rester. D'un autre côté, si elle s'obstinait à faire de vieux os ici, elle verrait ses chances de carrière s'envoler. Tout le monde savait que ces années d'études étaient déterminantes. Est-ce qu'elle voulait vraiment perdre son temps ?

Pourtant, continuer à se tourner les pouces dans ce bled pouvait bien la conduire dans les bras de Finn.

Elle se mit à réfléchir à toute allure. Il fallait trouver un moyen de ressusciter la chorale. Si elle parvenait à en faire un vrai groupe, solide et reconnu de tous, alors elle ne gâcherait pas ces quelques mois.

Soudain, elle eut un éclair de génie. Le bal ! Ses camarades au grand complet se retrouveraient dans le gymnase. C'était l'occasion rêvée pour recevoir le triomphe qu'elle méritait !

Mais elle ne pouvait pas y arriver toute seule. Elle avait besoin des membres de la chorale… Comment les convaincre de l'aider après ce qui s'était passé ? Ils devaient la haïr !

Elle allait relever le défi ou elle ne s'appelait pas Rachel Berry ! Est-ce qu'elle était du genre à baisser les bras, quand bien même il lui faudrait soulever les montagnes ?

Mardi après-midi, terrain de football

— Bouge-toi un peu les fesses, Brit ! hurla Sue Sylvester dans son mégaphone. On dirait une vieille impotente ! Tu es plus molle qu'un string détendu ! O.K., aucune d'entre vous ne mérite une pause. Mais si je ne vous en donne pas, les services sociaux vont encore débarquer et m'infliger la vue de leurs tailleurs-pantalons bon marché. Vous avez cinq minutes.

L'entraîneuse des Cheerios fit une moue méprisante. Elle se montrait toujours intransigeante, en particulier la semaine qui précédait un match de football important. Comme l'équipe des garçons était connue pour sa nullité, c'étaient les pom-pom girls que les gens venaient applaudir, ce que Sue Sylvester aimait leur rappeler.

Quinn se fichait pas mal des mots tendres que leur coach leur criait aux oreilles. Elle savait très bien ce qu'elle valait. D'ailleurs, elle venait de se surpasser en exécutant des flips frôlant la perfection. La colère lui donnait de l'énergie à revendre.

Elle attrapa une serviette sur le banc pour s'en tamponner le cou. De tout l'entraînement, elle n'avait pas quitté Puck des yeux, à l'autre bout du terrain : le voir avait décuplé sa fureur, ce qui s'était avéré un excellent carburant. Elle avait passé toute la semaine à espérer une suite à leur conversation dans le local du concierge. Pas une seule fois, il n'avait essayé de se retrouver seul avec elle ! Autant dire qu'elle l'avait assez mal pris. Elle comprenait maintenant ce que se sentir rejetée signifiait. C'était une impression vraiment inhabituelle... et drôlement désagréable. Même si ça ne pouvait pas coller entre eux, se voir délaissée du jour au lendemain lui avait fait un choc. Certes, c'est elle qui lui avait dit que tout était fini. Mais elle ne s'attendait pas à ce qu'il abandonne si rapidement la partie.

Elle ne voyait qu'une seule explication à son comportement : elle n'avait été qu'une passade pour lui ! D'ailleurs, il l'avait peut-être draguée dans l'unique but de voir jusqu'où il pouvait aller avec la présidente du club de chasteté. Ça avait dû bien l'amuser ! Elle bouillait de rage à cette pensée.

L'équipe de football finissait sa séance. Comparé à l'entraînement des Cheerios, celui des garçons ne semblait pas très ardu. Il leur suffisait de courir autour d'un grand terrain pour attraper le ballon ou empêcher leurs adversaires de s'en saisir. De plus, des armures les protégeaient comme s'ils étaient en sucre. Les pom-pom girls, elles, mettaient à l'épreuve tous les muscles de leur corps pour s'élancer dans les airs. Et elles devaient se synchroniser à la seconde près, sinon leur pyramide risquait de s'écrouler. Quinn aurait été bien curieuse de voir si ces types pouvaient tenir en équilibre sur les épaules de leurs camarades tout en gardant le sourire.

Sans réfléchir, elle se dirigea droit vers le banc où se trouvait Puck. Finn, près de la zone de but – avec sa grande taille, il ne passait pas inaperçu –, était occupé à lancer la balle à ses receveurs. Qu'est-ce qu'il était mignon ! On voyait bien que lui, au moins, prenait ce match très au sérieux.

Elle s'avança juste derrière Puck.

— Félicitations, lui souffla-t-elle à l'oreille.

Il se retourna et sourit en la découvrant dans sa tenue de Cheerio. Sa jupe était tellement courte qu'on aurait pu la prendre pour une allumeuse s'il ne s'agissait pas d'un uniforme. Au contraire, celui-ci lui donnait un petit côté innocent, presque désuet. Mais vraiment sexy. Elle avait rassemblé sa chevelure en queue-de-cheval, comme toujours pour l'entraînement, ce qui laissait apparaître ses jolies petites oreilles. Puck crevait d'envie d'en gober une et de la lécher comme une sucette.

— De quoi ? Tu as vu mon plaquage ? demanda-t-il en clignant des yeux, aveuglé par le soleil.

— Non, je parlais juste du fait que tu as invité Santana au bal, répondit Quinn d'une voix saccadée, comme pour contenir sa colère. Vous ferez un super beau couple tous les deux.

Il s'épongea le front avec un T-shirt laissé à l'abandon.

— Les nouvelles vont vite…

— Santana n'a pas arrêté de me bassiner avec ça, rétorqua Quinn en replaçant ses cheveux dans son dos d'un revers de main.

Son amie s'était jetée à son cou dans le vestiaire, juste avant l'entraînement, sans même se rendre compte que Quinn se trouvait en soutien-gorge.

— Il m'a demandé d'être sa cavalière !!! avait-elle hurlé.

Quinn avait partagé sa joie un court instant, avant de comprendre qu'elle parlait de Puck. Santana avait affiché un sourire jusqu'aux oreilles pendant toute la séance, et chaque fois que les pom-pom girls avaient eu droit à une pause, elle n'avait pu s'empêcher de lui glisser des niaiseries du genre : « Je suis sûre qu'il embrasse super bien » ou « Tu crois qu'il m'apportera des fleurs ? »

— Non mais, tu ne vas quand même pas m'en vouloir parce que je vais danser avec une autre ? lança Puck en la dévisageant.

Elle avait les joues toutes rouges. Soit à cause de l'entraînement, soit parce qu'elle était tout émoustillée à sa vue. Cette dernière hypothèse lui plaisait bien. Elle en avait peut-être marre d'attendre que cet abruti de Finn se décide enfin à l'inviter.

— Je croyais que tu ne pouvais pas encadrer Santana, rétorqua-t-elle.

Des coéquipiers de Puck, qui s'étaient approchés du banc pour se rafraîchir, jetaient des regards curieux à l'adolescente.

— Tu m'as dit que tu ne supportais pas sa façon de parler, continua-t-elle.

— Peut-être, mais elle est sexy, déclara le garçon en attrapant son casque. Et libre.

— J'y crois pas ! se lamenta Quinn en tentant de fuir son regard.

Mais Puck plongea ses yeux sombres dans les siens, et elle sentit son cœur battre une nouvelle fois la chamade – ce qui ne lui arrivait jamais en présence de Finn, même si elle le souhaitait de tout son cœur. Mais il n'y avait rien à faire : on ne pouvait pas se forcer à éprouver ce genre de choses.

— C'est plutôt moi qui devrais m'étonner! répliqua-t-il. Au cas où tu l'aurais oublié, je t'ai proposé de m'y accompagner et tu as refusé. Ça te revient?

Cette remarque eut le don de l'énerver au plus haut point. Elle avait toujours éprouvé des difficultés à contenir sa colère : elle pouvait exploser en un quart de tour. Une fois, en troisième, Mindy Johannes, qui se faisait les ongles avant un match, avait par accident laissé tomber une goutte de vernis sur l'uniforme de Quinn. Celle-ci lui avait arraché le flacon des mains pour en verser rageusement le contenu sur son sac à main – une contrefaçon Gucci. Une fois son coup de sang passé, elle s'était demandé ce qui lui avait pris.

À ce moment précis, elle brûlait de la même fureur sourde. Puck avait beau avoir raison, ça la mettait dans une colère monstre. Bien sûr qu'il disait vrai : c'était elle qui avait décidé les choses ainsi.

Ce qui ne l'empêchait pas de vouloir le frapper pour lui faire ravaler son sourire narquois. Et peut-être de l'embrasser ensuite.

— Alors, tu te souviens? demanda Puck en se rapprochant.

Elle ferma les yeux. Le tête-à-tête passé avec lui dans le local du concierge lui revint brutalement. Elle croyait respirer à plein nez l'odeur des produits d'entretien, qui, associée dans son esprit au jeune homme à présent, était d'une sensualité incroyable. Encore un peu et elle allait se laisser embrasser sur place, devant tout le monde, devant l'équipe de football au grand complet, les Cheerios, la planète entière. Finn découvrirait le pot aux roses. Et pour se consoler, il inviterait Santana à l'accompagner au bal, pendant qu'elle danserait avec Puck.

— Alors, quoi de neuf, vous deux ?

Quinn ouvrit les paupières : Finn, debout entre eux, donna une tape amicale à son ami. Il avait un regard si innocent, si honnête. Elle en ressentit une pointe de culpabilité.

— Je t'ai aperçue de l'autre côté du terrain. Tu as fini l'entraînement ?

Quinn s'efforça de le regarder dans les yeux. Puck pouvait aller se faire voir ! Elle appuya une main sur les omoplates de Finn, histoire de faire enrager Puck.

— Tu as super bien joué, le complimenta-t-elle.

Il sourit timidement, mais ses yeux brillèrent de joie. Lorsqu'il était heureux, tout son visage exprimait le bonheur, contrairement à d'autres, qui se contentaient d'étirer les lèvres. C'était un mec bien. Le genre de types que recherchait Quinn.

— Écoute, commença-t-il. Je voulais te demander…

Il marqua une petite pause avant de continuer.

— Est-ce que… Est-ce que tu veux bien être ma cavalière ?

Ouf ! C'était pas trop tôt ! Quinn attendait ce moment depuis si longtemps. Elle ne put cependant s'empêcher de jeter un œil du côté de Puck, qui s'étirait, une jambe tendue sur le banc.

— Bien sûr ! Avec plaisir, Finn !

Puck ne broncha pas.

— Cool. J'aurais aimé pouvoir passer te prendre chez toi, avec la voiture de ma mère, mais les types de mon équipe ont prévu de se préparer dans les vestiaires avant le bal. Comme on viendra de finir le match, ce sera plus pratique…

— Pas de problème. J'irai chez Brit pour me mettre en tenue, assura-t-elle en tortillant une mèche de cheveux autour de son doigt.

— Cool, répéta-t-il. Alors on se retrouvera au gymnase, disons, à 21 heures ?

— Parfait, roucoula Quinn.

Puck ne manifestait toujours aucune réaction. Comment pouvait-il rester là, à ne rien dire ?

— Tu sais ce qui serait génial ? reprit-elle. C'est qu'après le bal, on aille faire un tour dans le spa de mes parents. On pourrait leur piquer de l'alcool…

Elle n'aurait pas cru pouvoir prononcer ce genre de truc. Jamais elle ne s'était permise d'allumer un mec de cette façon. Les garçons avaient assez d'idées mal placées comme ça. Au contraire, une fille devait calmer leurs ardeurs. Et elle qui aguichait Finn ouvertement !

Mais c'était pour une bonne cause : Puck avait enfin tourné les yeux vers eux. Et il avait l'air furax, comme s'il allait cogner dans quelque chose – ou quelqu'un.

— C'est une super idée… approuva Finn d'un air ravi.

Est-ce qu'il avait bien entendu ? Quinn Fabray l'invitait à une séance de spa en tête à tête ? Waouh ! Il était déjà content de l'accompagner au bal, mais alors là, ça dépassait toutes ses espérances !

— Super ! conclut-elle.

Sue Sylvester venait de donner un coup de sifflet strident, et la pom-pom girl s'apprêta à réintégrer son équipe.

— Je dois y aller, déclara-t-elle en faisant un signe de la main à Finn, sans un seul regard vers Puck.

Lorsqu'elle se retourna pour se diriger vers l'autre extrémité du terrain, elle sentit dans son dos le regard des deux amis.

Elle était parvenue à faire d'eux exactement ce qu'elle voulait. Puck pouvait très bien danser avec Santana, maintenant. Tout ce qui comptait, c'est que, pendant ce temps, il penserait à Quinn.

Mercredi matin, couloirs du lycée

— Qu'est-ce que tu dirais d'une pause-café ? demanda Kurt en arrivant à hauteur de Mercedes.

Il avait rasé les murs pour rejoindre son amie jusqu'à son vestiaire. Elle était occupée à se refaire une beauté à l'aide d'un petit miroir accroché au fond de son casier.

— J'ai une tête de déterrée aujourd'hui, déclara-t-elle. J'ai passé une sale nuit.

Elle jeta un coup d'œil à son téléphone pour vérifier l'heure.

— C'est vrai qu'on a cours de littérature en première heure. Merci, M. Horn !

Le professeur était bien connu pour son attitude décontractée. Adepte du mouvement hippie dans les années soixante-dix, il avait absorbé une telle quantité de marijuana qu'il planait encore aujourd'hui. Par conséquent, il laissait ses élèves libres d'aller et venir, à condition de rester discrets. Une guirlande en papier était suspendue derrière son bureau.

Chaque chaînon représentait les jours qui lui restaient avant la retraite. Tous les matins, il en arrachait un pour le jeter dans la corbeille. Les lycéens l'avaient élu « prof de l'année » quatre fois consécutives.

— J'ai besoin d'un remontant, expliqua Kurt en apercevant son reflet dans la baie vitrée de la conseillère d'orientation.

Il arrangea ses cheveux au passage.

— Mon ego en a pris un sérieux coup, continua-t-il.

— Et le mien, alors ?

Justement, une brute épaisse de l'équipe de foot le poussa d'un grand coup d'épaule contre les casiers.

— Sympa votre spectacle, l'autre jour ! Vous avez assuré, les mecs !

— Merci, bafouilla sa victime en remettant de l'ordre dans ses vêtements.

Il en voulait à mort à Rachel d'avoir donné aux autres une bonne raison de se moquer d'eux.

— Je préférais encore quand il me balançait dans la benne à ordures sans motif. Maintenant, leurs sarcasmes sont justifiés.

Mercedes lui tapota le col pour lui ôter une poussière.

— Ils n'ont vraiment que ça à faire ? commenta-t-elle. Se foutre de nous dans notre dos ? Il y a quand même des sujets de conversation plus intéressants, non ?

— Faut croire que non. Avant l'arrivée de Rachel, on avait bien conscience d'être des asociaux et on restait sagement dans notre coin. Mais en débarquant dans notre chorale, elle a braqué les projecteurs sur nous et notre incompétence.

— Je savais que ça tournerait comme ça, ragea Mercedes. Cette fille est une starlette arriviste. Elle se fiche éperdument de nous.

Ils arrivèrent à la cafétéria pour se diriger vers les distributeurs. Nombre d'élèves venaient s'y approvisionner en sucreries de toutes sortes et en boissons chaudes. La réglementation visait pourtant à réduire les ventes d'aliments saturés en saccharose et en graisse dans les établissements publics. À Lima, elle n'avait jamais été mise en vigueur : les adolescents étaient bien trop accros à ce genre de douceurs, en particulier aux granités – ce qui n'arrangeait pas les losers.

Kurt approuva du chef. Il dut se résoudre à passer devant le distributeur de granité, qui tournait sinistrement. Une pile impressionnante de gobelets en plastique se dressait à côté, prêts à servir.

— C'était sans doute une erreur d'inviter Rachel dans notre chorale, avoua-t-il. Elle nous a tous tapé sur les nerfs.

Il gardait un sentiment de culpabilité au fond de lui, même s'il persistait à penser qu'elle aurait pu les aider, en fin de compte.

Quand il était petit, il avait fait un stage de tennis à New York. Son père l'avait encouragé à pratiquer un sport, et Kurt, après avoir admiré dans un magazine les shorts blancs de joueurs de tennis, avait arrêté son choix sur cette discipline. Le professeur à qui on l'avait confié, Stefan, un jeune homme aux beaux cheveux blonds et au revers puissant, avait insisté pour qu'il joue contre des enfants d'un niveau supérieur. « C'est le meilleur moyen de progresser », lui avait-il assuré en lui faisant une démonstration de son service.

Kurt l'avait contemplé toute la journée.

En tout cas, on ne pouvait pas reprocher à Rachel de ne pas les avoir poussés à s'améliorer.

— Pourtant… continua-t-il.

— Tais-toi ! le coupa Mercedes.

Elle avait arrêté son regard sur un muffin aux myrtilles enveloppé dans de la Cellophane.

— Je ne veux plus entendre parler d'elle !

« Bonjour à tous ! » résonna la voix de Rachel dans les haut-parleurs.

Un moment passa avant que Mercedes puisse retrouver la parole.

— Quand on parle du loup, on en voit la queue… chuchota-t-elle en croisant les doigts, comme pour éloigner les mauvais esprits.

Kurt attrapa un gobelet en plastique. Il n'avait jamais compris pourquoi ce genre de récipient était toujours revêtu d'un logo représentant… un gobelet en plastique. Comme si les gens pouvaient être assez bêtes pour ignorer son usage ! Lui, en tout cas, n'avait jamais hésité.

« Félicitations à l'équipe féminine de foot ! continua Rachel. Comme chacun sait, elles ont littéralement écrasé leurs adversaires du lycée Maryvale cinq buts à zéro ! Je rappelle aux membres du club de culture française que la prochaine réunion aura lieu aujourd'hui même dans la salle de Mme Smith, après les cours. Elle distribuera des baguettes et des chocolats. »

La jeune fille enchaîna par une chanson d'Elvis Costello, « Wednesday Week », ce qui eut le don de faire frémir

Mercedes d'horreur. Comment pouvait-elle avoir si mauvais goût ? Ce chanteur était d'un ringard !

Écouter Rachel débiter ses niaiseries était bien la dernière chose qu'elle désirait. Elle n'avait pas mérité cette torture. Ça devait cesser. Et si elle écrivait une lettre de réclamation au proviseur pendant le cours de M. Horn ? Elle préférait encore le ton monocorde de Mme Applethorne.

« Maintenant, j'ai une annonce personnelle », déclara la voix de Rachel.

— Cette fille m'assomme ! se plaignit Mercedes en se bouchant les oreilles.

— J'espère qu'elle ne va pas nous dire qu'elle a ses ragnagnas, commenta Kurt. Ou je risque de tomber dans les pommes...

Il appuya sur le bouton de la machine à sodas, qui laissa tomber une dose de Coca light.

« Je tiens tout particulièrement à m'excuser auprès des membres de la chorale. J'ai eu tort. Vous êtes des chanteurs talentueux et des coéquipiers formidables. Et je veux vous récompenser en vous adressant toutes les Étoiles Rachel Berry de la semaine. »

Mercedes se tira le lobe de l'oreille comme si quelque chose s'était coincé dedans.

— Est-ce que j'ai bien entendu ?

Kurt fit un signe de tête affirmatif.

— Je crois, oui.

Il n'aurait pas pensé qu'elle pourrait un jour reconnaître ses erreurs. Ce n'était pas son genre. D'ailleurs, pour rien au monde il n'aurait accepté de jouer contre elle au Trivial

Pursuit. Elle ne devait jamais admettre sa défaite, même si on lui montrait le carton où s'inscrivait noir sur blanc la réponse. Il l'imaginait bien prétexter que les concepteurs du jeu n'étaient que des ignorants et que c'était elle qui avait raison !

« J'aimerais qu'on trouve un terrain d'entente dorénavant, acheva Rachel. Et j'espère vous retrouver au bal au grand complet. Bonne journée à tout le monde ! »

Kurt et Mercedes échangèrent un regard perplexe.

— Je n'arrive pas à y croire, commenta Kurt en sortant de sa poche un billet de cinq dollars. Rachel est devenue aimable !

— C'est dingue ! approuva Mercedes. Elle est tellement imbue de sa petite personne, d'habitude. Je ne l'aurais jamais crue capable de s'excuser, ni même de prendre conscience qu'elle nous a fait du mal.

Kurt fourra sa monnaie dans la poche de son sac en cuir.

— Est-ce que tu es toujours décidée à rester chez toi, le soir du bal ? demanda-t-il tandis qu'ils regagnaient le couloir.

Mercedes, qui était en train de déballer son muffin, s'arrêta net. Les battements de son cœur s'accélérèrent.

— Pourquoi ? Tu as changé d'avis, toi ?

— Peut-être, répondit-il nonchalamment. Enfin, si tu veux bien m'accompagner…

Il se voyait mettant le pied sur la piste de danse dans son magnifique costume gris signé Tom Ford. Tous n'auraient d'yeux que pour lui. Il entendait déjà les murmures émerveillés sur son passage : comment était-il possible d'avoir si bon goût ? Les chaussures ! Il lui manquait les chaussures assorties ! Il allait filer faire les boutiques le jour même.

— D'accord, dit Mercedes en essayant de garder son calme.

En réalité, elle tremblait d'excitation. Kurt avait bien un faible pour elle ! À présent, elle devait trouver quelque chose à se mettre sur le dos pour l'occasion. « Ça y est, je suis officiellement casée », se dit-elle en son for intérieur.

La nouvelle idée de Rachel n'était peut-être pas si mauvaise que ça, pour une fois.

Jeudi soir, gymnase du lycée

Le groupe chargé de décorer le gymnase se réunissait pour la seconde et dernière fois. Les Cheerios et leur cour s'étaient affairées pendant vingt bonnes minutes à leurs tâches respectives, et le résultat s'avérait désastreux. Leur travail n'avait pas suffi à transformer la pièce en salle de bal. On avait enroulé des guirlandes dorées autour des paniers de basket : ils faisaient penser maintenant à des sièges de toilettes matelassés pour vieilles dames. Une des participantes – Brittany, sans doute – s'était servie de tapis de sol disposés contre le mur pour y coller l'inscription « Balle de début d'année » en lettres immenses. Un palmier en carton trônait dans un coin, sans rapport avec le thème de la soirée.

— C'est nul, commenta Santana, découragée.

Elle n'avait pas eu le temps de réfléchir à la tâche qui lui avait été confiée. Ce n'était pas sa faute : ces derniers jours, elle n'avait pas su où donner de la tête. D'abord, elle s'était rongé les sangs en se demandant si Puck allait l'inviter au bal. Ça l'avait tellement angoissée qu'elle s'était gavée de frites.

Et, une fois sa demande faite, elle avait passé mentalement en revue la tenue qu'elle porterait, de la robe aux sous-vêtements en passant par les boucles d'oreilles, et ceci, des heures durant. Elle n'avait pas eu une seconde à consacrer aux décorations mais s'était rassurée en se disant que quelqu'un se chargerait de ce travail à sa place.

Bien mal lui en prit : les autres aussi avaient manqué de sérieux. Résultat : les maigres tentatives pour faire oublier qu'on se trouvait dans un gymnase avaient complètement échoué. Kirsten Niedenhoffen se massait les tempes du bout des doigts comme pour chasser un début de migraine.

— Qui s'est chargée de la décoration de l'estrade, déjà ? demanda-t-elle.

Les fautives s'étaient contentées d'y fixer une guirlande sur le pourtour. Au fond, elles avaient installé un treillage blanc en arc de cercle, probablement chapardé dans un jardin.

— On se croirait à un mariage de pouilleux.

Les filles s'échangèrent des coups d'œil gênés. Enfin, l'une d'elles passa aux aveux :

— On était toutes trop occupées à vendre des voix pour l'élection.

Une participante, Annie, ajouta en fixant la scène :

— C'était du boulot !

— J'ai acheté une robe bustier fuchsia et noir à lacets spécialement pour l'occasion, déclara Brittany. Cette déco ne risque pas de la mettre en valeur. De quoi j'aurai l'air entourée de ces guirlandes à deux sous ?

— Pas besoin de décor bas de gamme pour faire vulgaire dans ce genre de tenue… murmura quelqu'un.

— Alors, qu'est-ce qu'on fait ? questionna Santana.

Et dire que son premier rancard avec Puck aurait lieu dans ce gymnase minable ! Ça manquait de romantisme à un point ! Elle espérait pourtant bien finir la soirée avec lui sur la banquette arrière de sa voiture. Mais cet endroit, qui n'évoquait rien d'autre qu'un terrain de basket, était loin de dégager l'atmosphère féerique propice à un tête-à-tête amoureux.

Soudain, Tina apparut dans l'embrasure de la porte. Elle portait un T-shirt rayé gris et noir, qui découvrait ses épaules, et un caleçon. Du bras gauche, elle serrait contre sa poitrine un sac-poubelle plein à craquer et en traînait un autre de la main droite. Le frottement du plastique sur le sol attira tous les regards vers elle.

— Depuis quand les clochardes ont le droit d'entrer dans le lycée ? demanda Santana, déclenchant une vague d'hilarité.

Elles n'auraient jamais dû accepter la présence de cette gothique la première fois. Quelqu'un lui avait sans doute balancé un granité le jour même, et maintenant, elle devait être folle de rage. Elle venait probablement se venger. Santana la voyait déjà les bombarder de Tampax comme dans ce film, *Carrie au bal du diable*.

— Tu nous apportes des ordures pour décorer la salle ? demanda Kirsten. J'imagine que ta maison en est pleine…

— Ce ne sont pas des ordures, répliqua Tina en déposant ses sacs pour en ouvrir un.

Les spectatrices, démangées malgré elles par la curiosité, se penchèrent en avant afin d'en apercevoir le contenu. De magnifiques étoiles dorées apparurent.

— Je les ai récupérées la dernière fois pour les arranger.

Santana en resta bouche bée.

— Elles sont magnifiques, ne put-elle s'empêcher d'admettre en attrapant une de ces merveilles. Comment tu as fait ?

— J'ai simplement recouvert les anciennes d'une peinture spéciale qui leur donne cet aspect particulièrement brillant.

Elle saisit l'un de ses chefs-d'œuvre par l'anneau en plastique fixé en haut.

— Je crois qu'il y a du fil dans cette vieille caisse. On pourrait en tendre de part et d'autre de la salle, un peu comme des cordes à linge, pour y suspendre mes décorations.

Les filles se laissèrent aller à imaginer l'effet que donneraient ces centaines d'étoiles brillant de tous leurs feux dans la pénombre.

— Ça créera une ambiance magique ! s'enthousiasma Kirsten.

— C'est fait pour, répliqua Tina avec une assurance inhabituelle.

Quelques-unes des participantes s'étaient déjà mises à les trier par ordre de taille. La jeune fille se tourna tout à coup vers Santana.

— Au fait, sympa le coup de la fumée ! On ne dérangeait pourtant personne : on essayait juste de faire passer un moment agréable aux spectateurs.

L'interpellée écarquilla les yeux.

— Alors, je comprends mieux pourquoi tu as apporté ces étoiles, répliqua-t-elle. Tu dois les avoir bourrées d'arsenic ou d'un truc dans le genre.

— Absolument pas ! se défendit Tina d'un air indigné. Je suis au-dessus de tes mesquineries, c'est tout. Et puis, continua-t-elle en souriant, il faudrait plus qu'un simple contact pour risquer quelque chose avec le poison que tu évoques. Alors, à moins de lécher ces bouts de carton, tu n'as rien à craindre…

Kirsten se mit à renifler celui qu'elle tenait. Aucune odeur suspecte.

— C'est vraiment adorable de ta part, déclara-t-elle, une pointe d'ironie dans la voix.

Elle aurait bien rappelé vertement à cette gothique quel respect une pauvre fille comme elle devait aux stars du lycée. Pourtant, elle était pleinement consciente qu'un vieux palmier dans un coin n'avait rien de très glamour. Les filles avaient malheureusement besoin de l'aide de cette Tina.

— Ah oui, pendant que j'y suis, reprit celle-ci, permettez-moi une remarque : aucune d'entre vous n'a le moindre talent artistique. En plus, vous avez de nouveau fait une faute d'orthographe : le mot « Bal » ne s'écrit pas comme ça !

Pour la première fois depuis longtemps, elle afficha un grand sourire. Ça faisait une éternité qu'elle n'avait pas osé montrer ses dents : le port d'un appareil dentaire en cinquième l'avait complexée. Et même si elle en était débarrassée maintenant, elle avait gardé l'habitude d'exprimer sa joie du coin des lèvres.

Une fois de plus, les participantes faillirent tomber à la renverse. L'adolescente n'était pas peu fière : elle venait de tenir tête aux Cheerios, et sans bégayer, en prime ! À présent, toutes les filles la regardaient, l'air d'attendre de nouvelles instructions.

— Alors, vous dormez ou quoi ? continua-t-elle. Dépêchez-vous d'aller chercher des échelles pour installer les fils ! J'ai deux autres sacs pleins dans ma voiture. Je vais les chercher.

Tina sortit de la salle, tremblante d'excitation. Non seulement elle était parvenue à se faire écouter des pom-pom girls, mais celles-ci lui obéissaient au doigt et à l'œil ! Elle devait raconter ça à Artie ! Il était resté après les cours pour rédiger un article pour le journal du lycée ; ça portait sur l'accès de l'établissement aux personnes en fauteuil roulant. Elle décida d'aller lui parler avant de se rendre au parking.

Arrivée devant la salle réservée aux journalistes en herbe, elle l'aperçut à travers la porte vitrée, assis devant un ordinateur. Elle frappa au carreau, et il se retourna vers elle. Dans son pull en V sans manches, il était vraiment craquant… même si ses cheveux avaient besoin d'une bonne coupe. Il s'avança vers la porte pour sortir la rejoindre.

— Hé, salut ! Je croyais que tu étais en train de décorer le gymnase…

— Oui, je vais juste chercher les derniers sacs d'étoiles dans ma voiture, répondit son amie en rougissant.

Elle ne voulait pas lui avouer qu'elle s'était précipitée ici pour lui exposer la situation.

— Alors, ça leur a plu ?

Elle lui avait confié ses craintes plus tôt dans la journée.

— Tu leur as montré de quel bois tu te chauffais ? ajouta-t-il en donnant des coups de poing dans le vide.

— En quelque sorte, oui, répondit Tina en souriant. Quand elles ont vu mes décorations, elles ont failli faire une syncope ! Et puis, je leur ai dit tout ce que je pen... pensais de leur traquenard, et à quel point elles craignaient. Elles m'ont obéi sans broncher.

— Waouh ! C'est dingue ! s'extasia Artie d'un air impressionné.

Tina était la fille la plus gentille qu'il connaissait et ça lui brisait le cœur que tous ces gens puissent la martyriser.

— J'aurais bien aimé voir leurs têtes !

— Au moins, tu pourras admirer ma déco. Enfin... si tu viens au bal, ajouta-t-elle timidement.

— Tu sais, je crois que Rachel avait raison, au final, répliqua-t-il en tapotant nerveusement les roues de son fauteuil. Je veux dire... quand elle a critiqué le fait qu'on reste dans notre coin sous prétexte que les autres nous maltraitent. Personne n'a le droit de nous empêcher de nous amuser.

— Alors, tu y vas ?

— Absolument.

À peine avait-il pris cette décision qu'il sentit l'angoisse le saisir. Est-ce qu'il allait vraiment se rendre à cette fête ? Il s'efforça de penser à quelque chose d'agréable pour ne pas changer d'avis : Tina serait sûrement très jolie dans la robe noire qu'elle choisirait.

Il n'avait pas envie de la voir partir tout de suite.

— Qu'est-ce que tu vas faire vis-à-vis de Rachel, demanda-t-il pour la retenir. Tu es prête à passer l'éponge ?

Tina se mordilla l'intérieur de la joue.

— Oui, je crois. Elle n'est pas aussi mé… mé… méchante qu'elle en a l'air.

— Au moins, elle a foi en nous. C'est déjà pas si mal, non ?

— Je pense qu'on doit lui pardonner, ajouta timidement Tina.

— Les asociaux comme nous doivent se serrer les coudes, conclut Artie.

D'habitude, elle n'aimait pas qu'on la traite d'« asociale » mais, venant de son ami, ça ressemblait presque à un compliment.

Jeudi soir, chez Quinn

— Elle est magnifique ! s'exclama la mère de Quinn en caressant la robe que sa fille allait porter au bal.

De l'autre main, elle tenait un verre de pinot noir, qu'elle avalait, comme chaque soir, avant de se coucher.

Le vêtement était suspendu à la porte du placard de l'adolescente. Sa mère l'avait aidée à le dénicher la semaine précédente, dans une petite boutique de Dayton, avant que Finn l'invite.

— J'avais quasiment la même quand je faisais partie du club de contredanse. On se ressemble beaucoup au même âge, tu sais.

Assise sur le tabouret de sa coiffeuse, la jeune fille contempla sa robe : en mousseline jaune pâle, cintrée sous la poitrine et pourvue d'un décolleté délicat, elle descendait juste au-dessus du genou. La jeune fille partageait l'avis de sa mère. Elle était parfaite ! À la fois élégante et très féminine, elle n'en mettait pas moins en valeur ses jolies formes. Car Quinn maîtrisait parfaitement l'art de rendre les garçons fous d'elle sans être provocante. Les fines bretelles soyeuses rehausseraient sensuellement sa peau nue. Elle désapprouvait la majorité des lycéennes, qui s'accoutraient pour l'occasion de jupes trop courtes – une façon d'encourager les garçons à les considérer comme des cibles faciles. Au contraire, Quinn savait très bien qu'une tenue innocente les excitait davantage. Rien ne les affolait plus qu'une fille pure et inaccessible. Puck n'allait pas s'en remettre de la voir dans cette robe.

Seulement, ce n'était pas avec lui qu'elle irait danser.

— Parle-moi un peu de ce Finn, ma chérie, proposa sa mère.

Elle repoussa l'ours en peluche, avec lequel Quinn dormait, pour s'asseoir sur le lit.

— Est-ce qu'il plaira à ton père ?

L'adolescente fit pivoter son tabouret afin de s'examiner dans le miroir.

— Comme si un seul garçon pouvait trouver grâce aux yeux de papa ! répliqua-t-elle en jetant un coup d'œil à sa mère à travers la glace.

Il pouvait tout juste tolérer les petits amis de ses filles mais certainement pas les aimer. Il avait consenti à appeler celui de sa sœur par son prénom seulement le jour de leurs fiançailles. Quinn était convaincue qu'il accepterait le beau et grand quarterback qu'était Finn. Même s'il avait l'étrange manie de parler aux parias du lycée, il incarnait un type de garçons, du moins en apparence, que son père pouvait difficilement ne pas approuver pour sa fille.

Au contraire, Puck, avec sa crête, son jean troué et son air insolent ne passerait jamais le pas de sa porte sans que

M. Fabray appelle la police. Son visage inspirait tout sauf la confiance.

— Mais ma chérie, ton père t'adore ! s'écria sa mère en s'avançant vers elle, haut perchée sur ses talons qui s'enfoncèrent dans la moquette épaisse. Il ne veut que ton bonheur !

— Je sais bien.

La jeune fille se perdit dans la contemplation de son reflet, comme si elle se regardait pour la première fois. Ses cheveux éclaircis par le soleil témoignaient d'un été passé au grand air – le matin à ses cours de tennis, l'après-midi à la piscine municipale, remplie de garçons mignons.

C'était aussi simple que ça : cette fille, en face d'elle, dans sa belle robe jaune qui mettrait son bronzage en valeur, serait couronnée reine. Elle verrait ainsi son désir le plus cher exaucé : se retrouver sur l'estrade à côté de Finn, le garçon à qui elle était le mieux assortie.

— Mais je suis heureuse, maman.

— Alors, c'est parfait, déclara celle-ci en l'embrassant. Tu feras une reine magnifique !

Quinn se contenta de suivre son image des yeux dans le miroir lorsqu'elle sortit. Elle monta le son de son iPod pour pouvoir entendre Lady Gaga de sa salle de bains, quand elle se laverait les dents. Elle plaignait les adolescentes qui ne disposaient pas de leur propre cabinet de toilette. Personne ne venait taper du poing à sa porte pour la déloger lorsqu'elle prenait sa douche. Elle pouvait même se permettre un long bain sans courir le moindre risque d'être dérangée. Pourtant, elle se sentait parfois un peu seule dans sa chambre immense.

Elle aurait bien appelé Santana, mais si c'était encore pour l'écouter lui parler de Puck! Elle ne se gênerait pas pour lui exposer par le menu détail jusqu'où elle comptait aller avec lui.

Quinn se livra machinalement aux divers soins quotidiens qu'elle imposait à son visage. Elle utilisait pour cela des produits de beauté excessivement chers que sa mère faisait importer de Suède, car ils n'avaient pas encore été approuvés par l'Agence de sécurité sanitaire des produits de santé. Elle suivait ainsi sa recommandation majeure : prévenir les rides avant qu'il ne soit trop tard. Et il n'y avait pas d'âge minimum pour ça!

Tout en se brossant les dents, elle essaya d'imaginer la scène de couronnement. Car elle serait élue reine, bien sûr! Ses amies pom-pom girls avaient jeté un œil aux votes, et elle était bien partie. Selon certaines, elle pouvait déjà s'estimer gagnante, tout comme Finn, d'ailleurs. Elle avait acheté pour l'occasion des sandales argentées dont les talons dépassaient les sept centimètres. C'était plus qu'elle ne mettait d'habitude, mais elle ne voulait pas paraître ridiculement petite à côté de lui.

Lorsqu'elle enfila son pyjama en satin blanc, ses pensées s'orientèrent malgré elle vers Puck. Elle se demanda quel effet ça ferait de sentir ses mains puissantes sur ses hanches en dansant avec lui. Elle écarta sa couette pour se faufiler dans son lit. De toute façon, tout le monde serait très choqué de la voir au bras d'un type qui avait si mauvaise réputation. Même si rien ne se passait entre eux, le simple fait de s'afficher avec lui occasionnerait les plus folles rumeurs. L'image de Quinn serait ternie à jamais.

Pourtant, bien malgré elle, se le représenter en costume la troublait profondément. Juste au moment où elle allait s'endormir, son téléphone vibra sur sa table de nuit. Elle souleva le masque en soie posé sur ses yeux pour lire le texto qu'elle venait de recevoir : « Regarde par la fenetre. »

Puck! Elle se dressa sur son séant. Est-ce qu'elle était bien éveillée? Elle s'extirpa de son lit pour aller ouvrir les rideaux, histoire de s'assurer qu'elle ne rêvait pas. Juste devant sa maison, à moitié cachée par les arbres centenaires de son jardin, se trouvait une voiture noire.

Elle respira un grand coup. Non mais, qu'est-ce qui lui prenait à celui-là? Si jamais son père l'apercevait avec sa crête rôdant devant chez lui, il ne se contenterait peut-être pas d'appeler les flics. Puck devait dégager sur-le-champ.

Le cœur battant à tout rompre, elle enfila des ballerines noires et entrouvrit sa porte. Elle tendit l'oreille : ses parents avaient regagné leur chambre, à en juger par le son étouffé de la télévision et les ronflements de son père. Parfait! Elle descendit l'escalier à pas de loup, tout en se demandant pourquoi elle prenait tant de précautions. Après tout, elle pouvait très bien être victime d'une insomnie et aller se servir un verre de lait dans la cuisine. C'est en tout cas ce qu'elle inventerait si elle se retrouvait nez à nez avec quelqu'un.

Elle ne s'attendait pas à sortir aussi facilement de chez elle. Une fois dehors, elle s'étonna de la clarté de la lune. Des criquets chantaient dans les buissons. La nuit était d'une agréable fraîcheur. Elle se dirigea silencieusement vers le portail, se faufila dans la rue et ouvrit la porte du véhicule côté passager.

— Qu'est-ce que tu fiches ici ? s'énerva-t-elle exagerément.

En réalité, elle n'était pas si fâchée. Et vu la façon dont Puck réagit – il la contempla en s'humectant les lèvres –, il sembla le deviner.

— Tu n'as pas répondu à mon texto : je pensais pas que tu viendrais.

— Alors, pourquoi tu as attendu ?

Un mélange de cigarette et de désodorisant flottait à l'intérieur. Quinn fut doublement étonnée : d'abord, la radio diffusait un vieux tube de Neil Diamond, qu'elle jugea assez ringard. Ensuite, la propreté qui régnait ne ressemblait pas à Puck. Elle aurait plutôt pensé devoir piétiner des papiers gras et des cannettes de Red Bull vides.

— Qu'est-ce que tu écoutes ? demanda-t-elle.

— Ah, pardon, dit-il en changeant de station.

Billy Joel se mit à chanter, ce qui soulagea sensiblement les oreilles de Quinn.

— Mignon, ton pyjama, complimenta-t-il en risquant une main sur sa cuisse.

Elle frissonna de la tête aux pieds. Le satin de son vêtement était peut-être chargé d'électricité… Pourtant lorsque Miss Cleo, sa chatte, se frottait contre ses jambes le soir, elle ne ressentait rien de comparable. Elle repoussa le bras de Puck.

— Alors, pourquoi es-tu venu ? insista-t-elle en écartant une mèche blonde de son visage. Tu ne te rends pas compte de ce que mon père te fera s'il te voit ici. Et Finn, tu y as songé ?

Cette pensée lui donna un frisson. Elle ne voulait en aucun cas causer de peine à son futur petit ami attitré.

— Je veux juste discuter.

Il portait un T-shirt en V rayé de bandes grises, et semblait rasé de frais. Ses joues et son menton imberbes paraissaient si doux… Quinn les aurait bien couverts de baisers.

Elle savait pertinemment qu'elle se trouvait en terrain miné. La tentation était tellement forte ! Dans un geste dérisoire de protection, elle feignit de se réchauffer en se frottant le corps avec ses bras. Pourtant, elle n'avait pas froid, plutôt chaud même, sans savoir si c'était dû à la température ou à la proximité de Puck. Elle essaya de chasser les souvenirs de leur premier tête-à-tête, sous les gradins.

— J'ai déjà entendu ça, fit-elle remarquer.

— Et tu es encore venue… C'est pas ma faute si tu peux pas me résister… répliqua-t-il en souriant d'un air moqueur.

Les vitres commençaient à se teinter de buée. Elle tendit la main vers la portière, mais Puck la retint par le bras.

— Ne pars pas ! Je rigole, tu sais.

— Dans ce cas, je t'écoute, consentit Quinn en évitant son regard.

À chaque fois qu'elle rencontrait ses yeux, elle sentait toute résistance la quitter, comme sous l'influence d'un hypnotiseur. Il suffisait qu'il se retrouve en face d'elle et plonge son regard dans le sien pour la rendre aussi docile qu'un agneau. Elle fixa un point sur son front. Qu'est-ce qui lui prenait à ce type ? Ou plutôt, que lui arrivait-il, à elle ? Elle avait tellement l'habitude de mener les garçons par le bout du nez. Elle ne cédait jamais, préférant se faire désirer. Elle n'avait même pas à se forcer : cette résistance lui venait tout naturellement, et elle trouvait ça vraiment agréable.

Puck s'éclaircit la gorge.

— Je serai franc avec toi. Voilà, je suis venu te parler de Finn.

— Ah, oui ? s'étonna Quinn en ouvrant des yeux ronds. À quel sujet ?

— C'est à propos de nous deux.

Il avait préparé son petit discours en venant, mais la proximité de Quinn le troublait. Elle était tellement sexy dans son pyjama en satin blanc. On aurait dit une riche habitante d'un palace. Dépourvue de maquillage, elle sentait la poire ainsi que le dentifrice.

— Prends-moi comme cavalier. Je danse beaucoup mieux que Finn, tu sais.

Quinn s'obligea à contempler le paysage droit devant elle pour ne pas tomber sous son charme. Ses yeux s'arrêtèrent sur la boîte aux lettres de son voisin, M. Lipanski. Qu'est-ce qui se passerait s'il lui prenait l'idée de promener Winston, son chien, et qu'il l'apercevait dans la voiture d'un type pas très net ? Irait-il tout raconter à son père ? Peut-être pas, vu le peu de sympathie qu'il semblait éprouver pour lui.

— Impossible, finit-elle par répondre en contemplant la porte de M. Lipanski. Tu as invité Santana, je te rappelle.

— Je lui poserai un lapin.

Puck ne vit pas son expression, car un rideau de cheveux dissimulait son visage. Il lui ramena délicatement sa mèche derrière l'oreille, lui frôlant le cou du bout des doigts au passage.

— C'est mon amie. Je ne peux pas lui faire ça, se défendit la jeune fille en fermant les yeux.

Sa voix sonnait étrangement faux. Un groupe de hard rock se mit à hurler dans les haut-parleurs, mais aucun d'eux ne tenta un geste pour changer de station. Le pouce de Puck s'était aventuré sur son menton, et elle s'abandonna malgré elle à cette caresse. Il serait toujours temps de l'arrêter plus tard.

— Ni à Finn, continua-t-il. Il est tellement gentil.

Elle respira avec délice les effluves qu'avait laissés sa mousse à raser sur sa peau.

— On ne peut pas continuer à faire semblant, murmura-t-il, le nez contre son cou. Je ne peux pas supporter cette situation.

Quinn se surprit à lui saisir la main. Se rappelant soudain des recommandations de la femme du pasteur, elle faillit lui demander de prier avec elle. Celle-ci lui avait donné un conseil qui pouvait s'avérer bien utile dans le cas présent : si vous sentiez que les événements vous échappaient, le meilleur moyen d'y mettre un frein était de s'adresser à Dieu. Mais Quinn essaya de se persuader que les choses n'étaient pas si graves : ils ne s'étaient même pas encore embrassés.

— Qu'est-ce que tu ne peux pas supporter ? demanda-t-elle.

Il lui caressait maintenant la joue du bout du nez.

— D'être séparé de toi. Ça me rend malade, souffla-t-il dans le creux de son oreille, faisant voler les petits cheveux de sa nuque.

Il était grand temps de partir maintenant. Elle devait trouver le courage de sortir de cette voiture, de se faufiler chez elle, de se servir un verre de lait, et de se coucher. Elle oublierait toute cette histoire et pourrait même se convaincre qu'elle avait rêvé. D'ailleurs, elle avait vraiment l'impression de vivre un songe, un de ceux qu'elle faisait éveillée en pensant à Puck.

Elle le repoussa soudain.

— Je n'y peux rien. Ça ne marchera jamais entre nous, déclara-t-elle.

Puck se contenta de se frotter les yeux. Un seul mot – quel qu'il fût – aurait suffi à briser le charme. Il tourna la tête vers l'autoradio comme pour tendre l'oreille à la chanson des Journey, sans un seul geste dans sa direction. Même à cette distance, Quinn sentait la chaleur de son corps monter vers elle. Pourquoi est-ce que la plupart des garçons se révélaient de vrais radiateurs ? Ça devait être une question de testostérone…

Elle ferait une grosse erreur en restant, mais il lui était impossible de décoller de son siège. L'idée de regagner sa chambre silencieuse pour s'étendre dans son lit vide ne la tentait pas du tout. C'était même inenvisageable, avec ce type chaud bouillant à côté d'elle.

Des mots lui brûlaient les lèvres. Elle savait très bien qu'elle devait se taire, mais c'était plus fort qu'elle, il fallait qu'ils sortent. Pourtant, elle aurait pu lui donner des dizaines de raisons pour lesquelles il ne devait rien y avoir entre eux. En même temps, elle n'imaginait pas sortir de cette voiture sans avoir senti sa bouche contre la sienne.

— Qu'est-ce que tu dirais d'un dernier baiser ? demanda-t-elle en croisant enfin son regard.

Il n'eut pas une seconde d'hésitation : il glissa sa main sur sa nuque pour l'embrasser. Toutes les appréhensions de Quinn s'envolèrent comme par magie : elle se fichait éperdument d'être surprise par le voisin ou par ses parents, maintenant, et même de la réaction de Finn ou de Santana s'ils apprenaient ce que Puck et elle étaient en train de faire.

Elle se concentra sur une seule et unique chose : les mains de Puck qui la caressaient, la bouche de Puck qui lui couvrait le corps de baisers. Toute sa résistance céda.

Vendredi soir, gymnase du lycée

Personne ne s'étonna de la défaite des footballeurs contre l'équipe de Central Valley. Même s'ils perdirent lamentablement 6 à 18, il en fallait plus pour saper le moral des élèves en ce soir de bal.

Le gymnase transformé en piste de danse était sublime. Des centaines d'étoiles dorées tournoyaient lentement au-dessus des têtes dans la pénombre, scintillant de mille reflets. Le résultat s'avérait saisissant de réalisme : on aurait dit un ciel pur d'été. Dans un coin, un DJ débraillé faisait jouer la musique à plein volume.

Tous les lycéens étaient sur leur trente et un, les garçons en blazers et les filles en robes colorées et en talons hauts claquant sur le sol. Quelques professeurs veillaient au bon déroulement de la fête, rassemblés autour d'une longue table où l'on servait des boissons et des cookies.

Rachel, assise en haut des gradins, guettait la porte d'entrée avec impatience. Elle portait une robe bustier turquoise à volants, ornée d'une ceinture noire. Ses escarpins ouverts sur le devant martelaient anxieusement le sol. Elle était arrivée pile à l'heure, trop pressée de s'assurer de la présence des membres de la chorale. Avaient-ils accepté ses excuses ? Cette fois, elle n'avait pas le droit à l'erreur : son plan devait fonctionner parfaitement. Mais elle avait besoin des autres pour cela.

— Tu es charmante, ce soir.

Jacob venait de surgir devant elle sans crier gare.

Il était vêtu d'une veste bleu marine et d'un pantalon marron soigneusement repassé, bien qu'un peu court. Les motifs roses et marron de sa cravate trop serrée ressemblaient aux dessins de spermatozoïdes que Rachel avait vus dans son livre de biologie.

— Merci, Jacob, mais ne compte pas sur moi pour danser avec toi ce soir.

Elle avait accepté l'année dernière pour ne pas faire tapisserie plus longtemps, mais l'avait amèrement regretté en sentant sur elle ses mains baladeuses.

— Tu m'as tripotée au beau milieu de la danse, l'autre fois, continua-t-elle.

Sans compter qu'il avait laissé sur sa robe les traces de ses mains moites – ce qu'elle s'abstint de mentionner, par excès de compassion.

— Et si je te promets de me tenir tranquille ? demanda-t-il, le front perlant déjà de sueur.

— Non, répondit-elle, catégorique.

Elle tourna la tête vers l'embouteillage qui s'était formé à l'entrée, curieuse de comprendre ce qui se passait. Soudain, la foule s'écarta pour livrer passage à Finn, qui tenait Quinn par le bras. Cette apparition était à couper le souffle : le jeune homme, vêtu d'une veste bleu marine ouverte sur une chemise claire et d'une cravate à rayures jaunes et bleues, resplendissait. Son air timide avait presque disparu. Sa cavalière, quant à elle, ressemblait à une princesse de conte de fées avec sa robe jaune pâle assortie à la cravate de Finn – détail qui suffit à briser le cœur de Rachel. Ses boucles blondes tombaient harmonieusement sur ses épaules. Il ne lui manquait plus que la couronne.

— Tu as lu mon blog? demanda Jacob en réajustant ses lunettes. Si c'est le cas, tu dois savoir qu'il y a eu une fuite dans le résultat des votes : Finn Hudson et Quinn Fabray vont être élus roi et reine, c'est quasiment sûr.

Rachel n'avait pas besoin de consulter sa stupide page Web pour deviner ça. Il suffisait de voir les regards admiratifs des élèves : ils ne quittaient pas les deux tourtereaux des yeux. Quinn entraîna Finn vers la piste de danse. Son sourire de Miss Amérique scotché à son visage laissait penser qu'elle appréciait de se trouver au centre de l'attention. Comment avait-elle pu séduire un garçon comme Finn? D'accord, elle était canon, mais est-ce qu'on pouvait décemment aimer une peste pareille? Finn ne pouvait pas partager sa superficialité. En tout cas, Rachel n'arrivait pas à se persuader du contraire.

Alors que tous les regards étaient braqués sur Quinn et Finn, occupés à danser, Artie et Tina firent une entrée des plus discrètes. Le père du garçon était passé prendre la jeune gothique chez elle, avec son véhicule adapté aux fauteuils roulants. Elle s'était imaginée plus romantique comme balade.

Est-ce qu'on pouvait d'ailleurs considérer ça comme un rendez-vous galant ? Même si Artie l'avait complimentée sur sa tenue lorsqu'elle était entrée dans la voiture, la présence de son père l'avait quelque peu refroidie.

Elle portait une minirobe noire aux manches fluides empruntée à sa sœur, et des Doc Martens montantes qu'elle avait lustrées pour l'occasion.

— Waouh ! s'extasia Artie en levant la tête vers le ciel scintillant. C'est toi qui as fait ça ? On dirait un décor de cinéma !

Tina contempla son travail. Elle était particulièrement fière de l'effet produit par les petites et moyennes étoiles qu'elle avait regroupées en un bouquet désordonné. On aurait cru qu'elles fondaient sur eux.

— C'est vrai, ça te plaît ? demanda Tina.

— Tu rigoles, ou quoi ? Tu pourrais être décoratrice de théâtre ou quelque chose comme ça !

Il resserra son nœud de cravate. Ce costume lui faisait tout drôle. Il croyait presque se rendre à un enterrement. Sa mère l'avait accompagné au centre commercial pour lui acheter une chemise bleue signée Ralph Lauren. Il détestait se rendre dans ce genre d'endroits où les gens lui lançaient toujours des coups d'œil agressifs, comme pour lui reprocher de boucher le passage.

— C'est vraiment magique, insista-t-il.

Tina rougit sous le compliment. La reconnaissance d'Artie lui réchauffait le cœur. Elle s'apprêtait à lui dire quelque chose de gentil en retour – que son costume lui allait bien – lorsque Rachel se précipita sur eux, brisant le charme.

— Félicitations, Tina. Ton décor est super ! s'extasia-t-elle en leur souriant de toutes ses dents, ravie qu'ils soient venus. Tu t'es visiblement souvenue que je signe toujours avec une étoile dorée, et je suis très flattée que tu l'aies choisie comme base de ton travail !

Elle s'arrêta net.

— Enfin… dans une certaine mesure, j'imagine, essaya-t-elle de se rattraper.

Artie et Tina échangèrent un regard entendu. Cette fille était tellement à côté de ses pompes qu'elle faisait presque pitié. Impossible de garder rancune à une toquée pareille.

— Écoute, Rachel, commença Artie. C'est d'accord, on te pardonne, mais ne pousse pas le bouchon trop loin, ou on risquerait de changer d'avis.

— Je vous adore ! Et vous êtes très beaux tous les deux.

Rachel lança un coup d'œil à l'estrade, derrière elle.

— Je suis vraiment contente de vous voir là, continua-t-elle. Figurez-vous que j'ai un plan qui devrait rattraper notre dernier loupé.

— Un… un… plan ? bredouilla Tina.

Elle devint soudain très nerveuse, et toute la joie qui l'avait envahie en voyant les autres élèves admirer son travail s'envola. Elle voulait juste profiter de la fête, rien de plus. Est-ce que Rachel ne cesserait jamais de mettre au point de nouvelles stratégies ?

— Parfaitement, répondit celle-ci.

La jeune fille recula d'un pas : un footballeur se dirigeait vers elle armé d'un verre plein. Même si son contenu devait s'avérer moins salissant qu'un granité, elle ne tenait pas à voir sa jolie robe maculée. Le type finit par tendre le breuvage à sa cavalière. Ouf ! Elle l'avait échappé belle !

— Voilà, reprit Rachel. Nous allons chanter ce soir devant tout le monde !

— Ici ? demanda Artie en jetant un regard circulaire autour de lui. Comment tu comptes t'y prendre ?

— J'ai tout préparé. Il suffit de s'approcher du DJ pour lui piquer des micros.

— T'es sûre que c'est une bonne idée ? objecta Tina.

Elle aimait prendre son temps pour se décider et, visiblement, Rachel avait besoin d'une aide immédiate. Mais elle sentait la catastrophe arriver.

— Tu ne penses pas qu'on s'est déjà assez ri… ri… ridiculisés comme ça ?

— Peut-être, mais c'est une chance unique de redorer notre blason, déclara Rachel, au comble de l'excitation.

Son plan était en béton, cette fois. Après réflexion, ils auraient dû s'abstenir d'interpréter cette vieille comédie musicale qui ne leur plaisait qu'à moitié.

— Écoute, Tina, reprit-elle. C'est ton soir de gloire. Les Cheerios savent pertinemment qu'elles te sont redevables de ce décor splendide.

— Ça c'est vrai, lui accorda Artie en se tournant vers son amie. Tu les as battues à plate couture, cette fois.

— La chance est de ton côté, maintenant, continua Rachel.

Elle jeta un coup d'œil derrière elle : les ongles roses de Quinn sur l'épaule de Finn lui firent penser à des serres.

— J'en sais rien, répliqua Tina. Demandons aux autres ce qu'ils en pensent, ajouta-t-elle en désignant la porte du menton.

Kurt et Mercedes venaient de faire leur entrée. Ils resplendissaient. Lui portait sa veste Tom Ford gris foncé flambant neuve sur une chemise blanche, et une fine cravate noire. Il marchait d'un pas sûr, pleinement conscient d'être le mieux habillé de la salle. Mercedes, tout en rondeurs, n'ignorait pas qu'elle devait se montrer à la hauteur de son cavalier : elle avait emprunté la carte bancaire de son père pour s'acheter un somptueux bustier mauve qui mettait en valeur sa poitrine et une jupe noire légèrement évasée. Un bandeau orné de strass scintillait dans ses cheveux.

Rachel ne put retenir un sourire : habillés comme des stars, Kurt et Mercedes sauteraient sur la moindre occasion de se faire applaudir. Les événements s'annonçaient décidément de mieux en mieux pour elle.

Tout le monde ne partageait pas son bonheur. De l'autre côté de la salle, Quinn s'efforçait de sourire. Brittany, qui habitait à quelques pâtés de maisons du lycée, lui avait proposé, ainsi qu'à Santana, de venir se préparer chez elle. L'adolescente avait dû subir le bavardage exalté de celle-ci : Puck était tellement sexy ! Elle se demandait si elle allait pouvoir lui résister longtemps… Quinn s'était retenue pour ne pas vomir.

Elle n'arrêtait pas de penser à lui. Naïvement, elle avait cru que la nuit précédente ferait cesser ses ardeurs et qu'elle pourrait ensuite se concentrer sur autre chose. Ce ne fut pas le cas, au contraire. Ils s'étaient croisés au lycée le jour même, mais sans pouvoir se parler. Ils s'étaient juste échangé de petits sourires chargés de sous-entendus.

En regardant Santana enfiler une minirobe rouge largement décolletée dans le dos qui moulait son corps parfait, Quinn en arriva à espérer que Puck ne vienne pas. Manque de chance, lorsqu'elle pénétra dans la salle flanquée de ses deux amies, Puck, Finn et leur équipe y étaient déjà.

Profitant d'une courte absence de Finn, qui était allé chercher un verre à sa cavalière, Puck s'approcha d'elle.

— T'es trop belle, lui souffla-t-il à l'oreille.

Depuis, il s'était volatilisé avec Santana. Celle-ci crevait sans doute d'envie de l'attirer dans un coin, loin de cette foule. Mais elle ne pouvait s'être jetée sur lui si vite, quand même. Alors, où étaient-ils passés ? Quinn les imaginait déjà sur la banquette arrière de la voiture avec les vitres qui commençaient à s'embuer…

— Ça va ? demanda Finn en lui effleurant le bras. Tu n'as pas l'air dans ton assiette.

Elle lui adressa un sourire mécanique en s'efforçant de chasser cette vision de son esprit. C'était Finn son cavalier, pas Puck. Elle devait se concentrer sur lui. Cette soirée était censée exaucer son désir le plus cher. Lorsque le proviseur déposerait la couronne sur sa tête, les applaudissements et les murmures d'admiration pleuvraient.

— Je me demandais juste si on sera élus roi et reine…

— Ah ! dit Finn, avec une pointe de déception.

Il était très content d'accompagner Quinn à cette fête, d'autant plus qu'il la trouvait très jolie avec ses cheveux lâchés sur les épaules. Mais il se fichait royalement de gagner ce concours ridicule. Même la défaite de son équipe le laissait indifférent. La victoire en elle-même ne l'intéressait pas. Tout ce qu'il désirait, c'était obtenir une bourse. Et avoir une couronne sur le crâne ne l'avancerait en rien dans son projet.

Il contempla les lèvres de Quinn, qui brillaient dans la pénombre. Curieux : elle n'avait pas reparlé de cette séance de spa. Elle avait peut-être oublié. Ou alors, elle bluffait, à ce moment-là…

— On devrait aller voir les autres, non ? proposa Quinn en lui prenant le bras.

Puisque Finn lui servait de cavalier, autant en profiter pour se faire admirer en sa compagnie. C'était l'un des types les plus en vue du lycée : toutes les Cheerios mouraient de jalousie en le voyant aux côtés de Quinn. Elle avait réussi à l'avoir, elle !

Et puis, jouer cette comédie lui ferait peut-être oublier la seule personne qui lui manquait.

— Viens, on va discuter avec Kirsten et son petit ami. Il est à la fac.

Finn se laissa entraîner malgré lui. Il commençait à s'ennuyer. Les yeux dans le vague, il s'imaginait bien tranquille chez lui, à jouer à la PlayStation. Soudain, une silhouette turquoise attira son attention. Ce n'était pas Rachel Berry ? Les nattes de chaque côté de son visage lui allaient vraiment bien. Il eut très envie d'aller lui parler, notamment pour lui expliquer qu'il était désolé que sa mise en garde contre les Cheerios n'ait pas suffi à la protéger. Il avait cru entrevoir, au fond d'elle, quelque chose qui en faisait un être unique. C'était sans doute pour cette raison qu'il s'intéressait à elle.

— Alors ? Tu viens ?

Quinn lui tapotait l'épaule.

— Oui, oui, obéit-il à regret.

Rachel avait déjà disparu dans la foule. Il se sentait tout drôle à présent, un peu comme s'il venait de manquer l'occasion de sa vie.

Un peu plus tard dans la soirée, gymnase du lycée

Comme Rachel s'en doutait, elle n'eut pas besoin de beaucoup d'arguments pour convaincre Kurt et Mercedes d'adhérer à son projet.

— Étant donné ma prestation fracassante de vendredi dernier, l'idée d'une seconde chance n'est pas pour me déplaire, déclara Kurt en lissant le revers de sa veste. Et puis, je n'ai pas souvent l'occasion de porter des tenues élégantes.

— Tu es toujours très élégant, déclara Mercedes en lui tapotant le bras.

Elle n'avait jamais été d'aussi bonne humeur. Pour une fois qu'elle pouvait s'afficher en public avec un garçon ! Et puis, le décor de Tina l'éblouissait. Mais surtout, elle avait l'impression d'être une rock star dans ses vêtements tout neufs. Des chaussures mauves à semelles compensées venaient compléter sa tenue, ainsi qu'un luxe de bijoux clinquants : un M géant en strass à son cou, de grands anneaux dorés aux oreilles et une énorme bague brillant de mille feux, sur laquelle Kurt s'était extasié. Et maintenant, elle allait chanter ? C'était trop beau pour être vrai !

— Alors, quand est-ce qu'on fait notre show? demanda-t-elle.

— Bientôt ! répondit Rachel, tout excitée. Juste après la cérémonie du couronnement.

Son heure de gloire allait enfin sonner !

— Je vais aller en reconnaissance du côté du DJ, déclara-t-elle.

Elle se dirigea vers la piste de danse en faisant claquer ses talons. Des couples y tournoyaient au son d'une chanson de Coldplay. Mais, avant qu'elle ait pu atteindre sa destination, la musique s'arrêta.

Tout le monde se tourna vers l'estrade en se poussant du coude : Brittany gravissait les marches, chancelante sur ses talons aiguilles argentés. Elle ressemblait à une poupée Barbie avec ses cheveux relevés et sa robe moulante.

Elle s'approcha du micro, qui grésilla quelques secondes. Enfin, elle se mit à parler d'une voix tellement rapide que l'assemblée eut du mal à la suivre :

— Voici le moment que vous attendez tous avec impatience, le couronnement du roi et de la reine, récita-t-elle d'une traite, sans prendre le temps de respirer.

Des exclamations joyeuses fusèrent. Tout en s'avançant discrètement vers le DJ, Rachel capta des commentaires parmi les spectateurs. Tout le monde semblait s'accorder pour dire que Brittany allait annoncer Quinn et Finn vainqueurs. Lorsqu'elle contourna le bloc compact de la foule, elle surprit les propos de Sue Sylvester à la prof d'économie, celle qui ressemblait à une souris.

— Je suis bien contente que les fonds destinés aux activités artistiques aient servi à payer les votes. L'investissement en valait la peine. Ces jeunes doivent comprendre combien il est important que les forts écrasent les faibles. Il en va de l'équilibre de la vie en société.

— Vous avez vraiment fait ça ? chuchota Mme Iggulden d'un air effaré.

Rachel s'arrêta pour tendre l'oreille.

— Utilisé l'argent de ces losers ? Bien sûr ! De toute façon, il serait allé aux séances de bronzage de mes Cheerios. C'est kif-kif.

Les mains de Rachel se mirent à trembler. Elle s'était toujours doutée que la coach des pom-pom girls n'était pas nette, et là, elle en détenait la preuve. Cette horrible bonne femme avait elle-même acheté des votes ! L'élection était truquée, et le concert avait été saboté. C'était ignoble !

Pourtant, crier au scandale ou fuir dans un autre lycée n'apparaissait pas comme une solution. Ces injustices donnaient à Rachel l'envie de se battre. Elle allait leur montrer de quoi elle était capable !

— Les gagnants sont donc… Quinn Fabray et Finn Hudson ! déclara Brittany sans même prendre la peine d'ouvrir l'enveloppe cachetée.

Les intéressés, qui s'étaient rapprochés de l'estrade, montèrent les marches sous un tonnerre d'applaudissements. Les footballeurs sifflèrent avec enthousiasme tout en brandissant leurs poings en signe de victoire. M. Figgins apporta une tiare ornée de strass et une couronne en plastique.

Pour Quinn, le temps s'était arrêté. Le résultat ne la surprenait pas : elle ne comptait plus les lycéens qui l'avaient assurée de leur vote. Mais elle ne s'attendait pas à ce que ce moment fût si agréable. C'était tellement jouissif de se retrouver sur cette estrade, acclamée par la foule, et enviée par toutes ces filles ! Elle se sentait toute-puissante ! Un léger vertige la prit à la pensée que, désormais, c'était elle la fille la plus admirée du lycée. Même si Finn n'apparaissait pas comme une lumière, sa présence à ses côtés augmentait encore cette impression de détenir le pouvoir suprême. Cet instant dépassait tout ce qu'elle avait imaginé.

— Félicitations, dit le proviseur.

Lorsqu'elle se courba pour recevoir la tiare sur la tête, les flashs des appareils photo crépitèrent et, pour la première fois de la soirée, son visage s'éclaira d'un vrai sourire.

— Penchez-vous, s'il vous plaît, demanda M. Figgins à Finn, qui le dépassait largement.

Le garçon dut plier maladroitement les genoux pour que celui-ci soit en mesure de le couronner. Quinn tourna son visage joyeux vers l'assemblée.

Une silhouette surgit soudain dans son champ de vision. C'était Puck. Leurs yeux se croisèrent. Son costume noir porté sur une chemise de la même teinte lui donnait un air ténébreux absolument irrésistible. En repensant à la nuit précédente, Quinn sentit ses jambes flageoler. Pourtant, leur échange de regards ne trahissait pas seulement une extrême sensualité. Il y avait plus. Et lorsque Santana s'accrocha au bras de Puck et que Finn passa son bras autour de la taille de Quinn, ils lurent la même pensée sur le visage de l'autre : c'était ainsi que les choses devaient se passer.

Tout ce qui était en train d'arriver, elle l'avait voulu. Elle voyait son rêve le plus cher exaucé : se retrouver sur cette scène en compagnie de son alter ego masculin pour régner sur l'ensemble des lycéens. On l'avait désignée pour incarner la fille parfaite, rôle qu'elle devait jouer jusqu'au bout.

Et il n'y avait aucune place pour Puck dans le scénario.

Elle colla sa joue contre celle de Finn. Tout était pour le mieux ainsi. Certes, elle avait cédé à Puck dans un coup de folie – peut-être sous l'influence de la pleine lune ou d'un phénomène mystérieux – mais elle avait retrouvé ses esprits, à présent. Elle soupira de soulagement.

Le DJ relança la musique. Après un slow en l'honneur du couple élu, il proposa des chansons plus rythmées pour faire danser tout le monde. La fête commençait à battre son plein.

— Bon, quand est-ce qu'on y va ? demanda Mercedes en lissant sa jupe. Je suis prête à déchirer !

Kurt regardait d'un air ahuri la masse d'admirateurs féliciter Finn et Quinn. Ils étaient si nombreux qu'ils les empêchaient de danser.

— Pitié, oui, allons-y ! La vue de ces lèche-bottes me crève le cœur.

— C'est maintenant ou jamais, déclara à son tour Artie.

— Souhaitez-moi bonne chance ! lança Rachel en se dirigeant droit vers le DJ.

Le jeune homme maigrichon à la sono devait avoir environ vingt-cinq ans. Il portait un bouc et avait attaché ses cheveux gras. Quel ringard ! La queue-de-cheval n'était pas censée être réservée aux filles ? Rachel se pencha vers lui en souriant :

— C'est super ce que tu fais !

Il parut surpris. Visiblement, il n'avait pas l'habitude d'être abordé par la gent féminine.

— Tu trouves ?

Il tendit l'oreille pour saisir la réponse de Rachel, que la musique tendait à couvrir.

— Absolument, affirma-t-elle en battant des cils.

En général, elle évitait le maquillage outrageux, mais une couche supplémentaire de mascara pouvait parfois aider. La preuve : le DJ semblait hypnotisé.

— Comment tu t'appelles ? demanda-t-elle en fixant le grain de beauté de son cou.

Elle ne devait pas trahir la présence de Kurt et Mercedes derrière lui, par un coup d'œil dans leur direction. Ils fouillèrent plusieurs boîtes avant de mettre la main sur cinq micros sans fil.

— Ricky, répondit-il en toussant.

On aurait cru, à son teint blafard, qu'il passait ses journées enfermé dans l'obscurité.

— Tu veux… Je peux passer ta chanson préférée, si ça te dit, offrit-il.

— Oui, acquiesça Rachel en souriant.

Les premières notes de « Just Dance », le tube de Lady Gaga, ne tardèrent pas à retentir dans les haut-parleurs. Les lycéens en devinrent hystériques. Ceux qui se tenaient à l'écart des danseurs se ruèrent sur la piste pour se trémousser avec les autres. Seul Kurt resta caché derrière la table de mixage du DJ. Ses camarades, quant à eux, gagnèrent le devant de l'estrade, un micro au poing. Kurt attendit d'entendre la voix de la chanteuse pour arracher la prise de la sono et filer droit vers ses amis. Ricky n'y vit que du feu.

— Qu'est-ce qui se passe, à la fin ? s'écria quelqu'un.

Un concert de sifflements s'éleva. Enfin, un fredonnement fit taire peu à peu les protestataires. Il s'amplifia pour se changer en chant.

Les membres de la chorale avaient repris la mélodie exactement là où elle s'était arrêtée. Les adolescents qui se tenaient près d'eux s'écartèrent pour leur laisser de l'espace, et ceux qui se trouvaient à l'autre extrémité se poussèrent pour apercevoir les chanteurs. Le premier moment de stupeur passé, tous se remirent à danser comme si de rien n'était. Quelques applaudissements retentirent.

Rachel avait les joues en feu. Les regards admiratifs braqués sur elle lui donnaient de l'énergie à revendre. Ils se débrouillaient tous à la perfection !

Tout à sa prestation, elle se demanda s'ils devaient leur performance à la chanson ou à l'absence de pression. Peut-être avaient-ils tout simplement réalisé qu'à moins d'y mettre tout leur cœur, ils ne pouvaient rien faire de bon.

Ricky ne tarda pas à les accompagner d'un fond sonore. Même les professeurs ne purent s'empêcher de battre la mesure du pied. M. Schuester – qui venait de supporter la conversation horriblement rébarbative de Ken Tanaka, l'entraîneur de l'équipe de foot – n'en revenait pas. Qui étaient ces gamins ? Il n'était pas seulement soufflé par leur talent, mais aussi par leur audace. Enfin, des lycéens se décidaient à mettre de l'ambiance dans ce bal ennuyeux !

— Ils sont vraiment doués ! déclara-t-il à son collègue.

— Sans doute, répliqua le coach en desserrant sa ceinture.

Il se sentait à l'étroit dans sa tenue de ville, et la vue de tous ces ados en costumes le mettait mal à l'aise.

M. Schuester n'était pas le seul à manifester son enthousiasme. Le groupe amassé autour de Quinn et de Finn avait migré vers les chanteurs dès les premières notes. Le roi et la reine se retrouvèrent seuls au milieu de la pièce, délaissés. La pom-pom girl entraîna aussitôt son cavalier vers les artistes, en jouant des coudes pour se placer juste devant eux. Elle lui jeta un coup d'œil : il semblait littéralement envoûté par cette Rachel qui tournoyait, pleine d'assurance, sur la piste.

Où avaient-ils donc déniché ces micros ?

— C'est pas dans le programme, que je sache ! lança Quinn, exaspérée.

Ce devait être sa soirée, à elle, et ces losers étaient en train de lui voler la vedette.

Ses paroles furent couvertes par la musique et le martèlement des pieds sur le sol.

— Ils assurent, tu ne trouves pas ? demanda Finn.

La remarque était surtout valable pour Rachel, qui avait tout d'une chanteuse professionnelle. Lady Gaga ne lui arrivait pas à la cheville, d'autant plus que la jeune fille avait l'air vraiment dans son élément. Elle prenait son pied, c'était clair !

Une ride soucieuse barra le front de Quinn.

— Faut aimer, répondit-elle.

Ce qui n'était pas son cas, mais alors, pas du tout !

Sa critique se perdit dans un tonnerre d'applaudissements saluant la fin de la chanson.

Lundi matin, bureau du proviseur

Ce lundi matin, les chanteurs en herbe furent convoqués dans le bureau du proviseur au beau milieu de leur cours. Ils avaient passé un week-end aussi paradisiaque que le précédent avait été cauchemardesque. Pour une fois qu'ils n'étaient pas la risée du lycée ! Au contraire, ils nageaient maintenant en plein bonheur. Tina, Kurt, Mercedes et Artie débordaient de reconnaissance envers Rachel. Même si elle s'était empressée de s'attribuer tout le mérite de leur succès foudroyant, ils ne lui tenaient pas rigueur de ce petit excès de vantardise. D'ailleurs, Mercedes en personne avait admis qu'elle avait parfaitement su orchestrer leur triomphe.

Les membres de la chorale se tenaient au grand complet autour de la table de M. Figgins, à part Artie, car les accoudoirs de son fauteuil l'empêchaient de prendre place contre le bureau. Il avait dû se résoudre à rester dans le passage.

Sue Sylvester se tenait debout contre le radiateur, dans un survêtement bleu et jaune.

Rachel s'éclaircit la gorge. Qu'est-ce que la coach des Cheerios faisait là ? Elle ne voyait pas ce qu'ils avaient à se reprocher, mais si on les accusait de quoi que ce soit, elle se défendrait bec et ongles. À présent, elle avait une foi démesurée en l'avenir. Leur succès avait dépassé toutes leurs espérances : une fois la chanson finie, une foule de lycéens s'étaient rués sur eux pour les féliciter. Et même si les pom-pom girls et les footballeurs avaient feint l'indifférence, leur fureur était palpable, ce que Rachel avait trouvé jubilatoire.

— Je vous ai fait appeler pour parler des événements de vendredi soir, commença le proviseur de sa voix lasse.

Il jeta un coup d'œil en direction de Sue Sylvester.

— Certaines personnes se sont plaintes de votre concert improvisé.

— Tout le monde nous a trouvés super ! protesta Kurt.

La dernière fois qu'il avait dû se présenter devant M. Figgins, c'était parce qu'on l'avait ligoté à un poteau de but. Il s'était vu incapable d'identifier ses agresseurs, étant donné qu'il avait fermé les yeux tout le temps de l'attaque.

— Super ? s'indigna l'entraîneuse. J'imagine que tu entends par là « insolents », « lamentables » et « scandaleux ». Alors, oui, dans ce cas, vous avez été « super » ! siffla-t-elle en laissant perler un peu de salive au coin des lèvres.

Le proviseur l'arrêta d'un signe de main.

— Je vous préviens, Sue : si vous ne baissez pas d'un ton, je me passerai de votre version des faits pour m'en tenir aux déclarations de ces élèves.

— Inutile, lança-t-elle d'un air méprisant. Je vais vous dire ce qui s'est passé, moi. Ces chanteurs à deux sous ont tenté de saboter la carrière d'une de mes Cheerios en faisant irruption au beau milieu de la chanson qui lui était dédiée. Interrompre l'une des cérémonies les plus importantes du lycée, accoutrés comme des travestis, est une façon répugnante d'agir. La pauvre Quinn a dû pleurer toutes les larmes de son corps. Vous avez ruiné la plus belle soirée de sa vie.

— M. Figgins, je vous jure qu'on a attendu la fin de sa danse pour entrer en scène, argua Rachel en essayant d'éviter le regard furibond de l'entraîneuse.

Si jamais elles se croisaient dans un couloir désert, la coach n'hésiterait pas à la frapper, elle en était persuadée.

— Émanant de barbares de votre espèce, ce genre d'argument n'est pas recevable, riposta Sue Sylvester en tentant de rallier le proviseur d'un coup d'œil.

Mais celui-ci ordonna à Rachel de continuer. Qu'est-ce qu'il n'aurait pas donné pour aller faire une partie de golf!

— Écoutez, monsieur, on n'avait pas d'autre solution. Le groupe ne dispose pas d'assez d'argent pour organiser ses représentations, et M. Ryerson ne nous est d'aucune aide.

La jeune fille coinça ses cheveux derrière l'oreille, comme chaque fois qu'elle était un peu tendue. Tina lui adressa un petit sourire d'encouragement. Elle était contente de représenter la chorale auprès du proviseur, qu'elle commençait à connaître, maintenant.

— Mais vous vous êtes produits devant le lycée dernièrement, non? objecta-t-il.

Dehors, une tondeuse à gazon allait et venait. Il se demanda qui était de corvée, aujourd'hui. Sans doute ce type détestable que la mairie lui avait envoyé.

— C'est vrai, mais les Cheerios ont saboté notre spectacle en nous refilant une machine à fumée défectueuse dans le seul but de nous nuire.

Quand il s'agissait de se défendre, Rachel pouvait prendre un ton très convaincant.

— C'est vrai, Sue ? demanda M. Figgins. Les Cheerios ont quelque chose à voir avec ce désastre ? Figurez-vous que trois parents d'élèves se sont retrouvés à l'infirmerie après avoir inhalé des fumées toxiques !

— Impossible. Mes pom-pom girls sont bien trop occupées à répéter leurs figures pour le prochain concours. Elles n'ont pas de temps à perdre avec ce genre de complots.

— Justement, en parlant de complots, reprit Rachel, gonflée à bloc.

Elle savourait déjà sa victoire.

— Je vous ai entendue déclarer à Mme Iggulden que vous avez personnellement veillé à ce que votre protégée, Quinn Fabray, et son petit ami gagnent les élections en achetant vous-mêmes deux cents voix en leur faveur.

— Mais enfin, Sue, vous n'aviez aucun droit de participer à cette élection ! s'indigna le proviseur. Seuls les lycéens y sont autorisés !

Elle dépassait les bornes, cette fois ! Cela dit, il n'était pas étonné. Ce genre de magouilles lui ressemblait bien. S'il avait fermé les yeux jusqu'à maintenant, c'était uniquement parce que les Cheerios remportaient tous les championnats et que leur prestige retombait sur le lycée.

— J'attends vos explications.

Kurt poussa Mercedes du coude. Quelle jubilation !

L'entraîneuse faisait une tête de cent pieds de long. Elle n'avait pas l'habitude de devoir se justifier, pas même devant le proviseur, et encore moins en présence d'un groupe de losers comme Glee !

— Pour inculquer des valeurs morales à ces ados... commença-t-elle.

— Pour inculquer des valeurs morales à ces ados, interrompit M. Figgins, il faut commencer par leur montrer l'exemple.

Il refusait catégoriquement d'organiser une nouvelle élection sous prétexte qu'un de ses enseignants l'avait truquée. Rien que cette idée lui infligeait des maux de tête.

— Je vous propose un compromis : les gagnants ne seront pas détrônés. D'après ce que j'ai compris, votre intervention n'était pas nécessaire, Sue. Tout le monde aime Quinn et Finn.

Le quarterback faisait bonne figure, et la pom-pom girl en chef était une jeune fille modèle, même si elle lui avait cassé les pieds avec ce club de chasteté qu'il l'avait finalement autorisée à ouvrir.

— Mais, en contrepartie, tout l'argent récolté par ces élections sera reversé à la chorale, conclut-il.

— C'est hors de question ! s'insurgea Sue Sylvester. Cette cagnotte est destinée aux séances de bronzage de mes Cheerios ! Vous vous moquez de moi !

— Je suis tout à fait sérieux, Sue, affirma le proviseur en se levant pour mettre un terme à la séance.

La fureur déformait les traits de la coach. Elle parvint quand même à la ravaler pour sortir dignement, ou presque.

— Très bien, mais j'en informerai les parents de mes athlètes. Je ne vois pas comment je ferai remporter le championnat national à une bande d'albinos.

Elle lança un regard haineux à Rachel, comme pour lui signifier qu'elle aurait sa revanche. Enfin, elle franchit le seuil du bureau en donnant un coup de pied rageur dans la corbeille de la secrétaire.

Les chanteurs étaient aux anges. C'était trop beau pour être vrai !

— Merci, M. Figgins, de nous avoir si bien rendu justice, lança Rachel.

Le proviseur reprit la parole pour mettre fin au bavardage qu'il sentait venir :

— Bon, bon, l'incident est clos, mais ne recommencez pas ce genre d'initiatives. J'ai autre chose à faire que de recevoir des plaintes à tout bout de champ.

Les adolescents le remercièrent une nouvelle fois et se hâtèrent vers le couloir, de peur de le voir changer d'avis.

— C'est dingue ! s'enthousiasma Tina. J'y crois pas. On va avoir des fonds ?

— Et ce n'est qu'un début, affirma Rachel.

Elle imaginait déjà ce qu'ils se paieraient avec cet argent : de nouvelles partitions, des super costumes et une sono dernier cri. Mais ce dont ils avaient besoin avant tout, c'était d'un vrai coach qui les aiderait à donner le meilleur d'eux-mêmes. Ah oui ! Et ils s'achèteraient aussi des nouveaux T-shirts.

— Rachel, tu as été parfaite, la complimenta Artie en resserrant son nœud de cravate. Comment t'y es-tu prise pour tenir tête à Figgins et Sylvester jusqu'au bout ? Tu m'as bluffé !

Son obstination pouvait, dans certains cas, leur être d'une aide précieuse finalement !

— Ça vous dirait de fêter notre victoire en allant prendre un verre à la cafète ? proposa Kurt en tapant dans ses mains.

Tout le monde fut partant, sauf Rachel. Elle venait d'apercevoir Finn, près de la fontaine, qui faisait visiblement semblant de boire : il ouvrait la bouche à quelques centimètres du jet d'eau. Est-ce que, par hasard, il l'attendait ?

— Je vous rejoins, déclara-t-elle. J'ai oublié quelque chose dans mon casier.

Une fois les membres de la chorale hors de vue, Finn fit mine de s'essuyer les lèvres. Il jeta un coup d'œil circulaire pour s'assurer qu'aucun de ses coéquipiers ne rôdait dans les parages. Ce qu'il regretta aussitôt. Avait-il besoin de leur approbation pour parler à qui que ce soit ? C'était ridicule. Il agissait comme bon lui semblait. Après tout, il avait été couronné roi !

Il se dirigea vers Rachel, qui feignait de fouiller dans son sac à dos.

— Hé, Rachel, t'es là ? lança-t-il.

À chaque fois qu'il se retrouvait en face d'elle, sa langue s'engourdissait comme si une abeille y avait enfoncé son dard. Le simple fait de lui parler l'intimidait. Et effectivement, elle avait de quoi impressionner, même si elle pouvait paraître un peu folle, parfois.

— Salut, Finn.

Rachel se redressa pour lui sourire. Il avait son air de chien battu, aujourd'hui. Un compliment l'aiderait sûrement à reprendre confiance en lui.

— Félicitations pour ta victoire ! Le titre de roi du lycée est de loin le plus envié ici !

— Ah, euh… Ben, merci.

Il avait du mal à croire en sa sincérité. Ce n'était pas son genre de s'extasier sur des choses aussi futiles. Après tout, il n'avait fait que monter sur l'estrade et baisser la tête pour recevoir une couronne, ce qu'il avait trouvé plutôt embarrassant. Rachel, au contraire, avait relevé un défi beaucoup plus difficile en improvisant ce show. Tout le monde avait adoré, d'ailleurs. Même ses amis un peu ringards avaient démontré leur talent. Finn aurait bien aimé s'investir dans une activité de ce style. Mais Quinn n'aurait pas apprécié : elle avait craché sa colère tout au long du trajet de retour, et il n'avait pas eu droit à la séance de spa tant espérée.

— Des bruits courent à ton sujet, reprit-il.

— C'est faux! s'écria aussitôt Rachel. Je n'ai jamais embrassé de chien, ni aucune créature à quatre pattes!

— Je ne parlais pas de ça, mais de la rumeur selon laquelle tu allais changer de lycée.

— Ah, oui!

Ce projet lui était complètement sorti de la tête. D'ailleurs, elle s'étonna que la nouvelle se soit répandue. En général, les élèves ne colportaient que les calomnies.

— Je me pose la question, c'est vrai.

Le triomphe de son groupe ne la disposait plus tellement à partir. Mais, même avant ça, son cœur balançait entre son ambition et quelqu'un qu'elle ne retrouverait nulle part ailleurs : Finn. Elle jugeait elle-même stupide de fonder son choix – lequel influencerait peut-être sa vie entière – sur un garçon qu'elle connaissait à peine. Mais c'était plus fort qu'elle. Elle sentait un courant passer entre eux.

Le jeune homme s'adossa contre un casier. Dans cette attitude décontractée, il ressemblait à un mannequin posant pour une pub.

— Je voulais juste te dire que j'ai trouvé votre intervention super. Tu chantes vraiment bien. Et tu étais… enfin, vous étiez magnifiques. Pas seulement toi, les autres aussi.

Il devint rouge comme une tomate.

Rachel n'en croyait pas ses oreilles : est-ce qu'elle l'impressionnait tant que ça ? Cette pensée lui donna le vertige.

— Merci.

— Je ne voulais pas te voir partir sans te dire au revoir, ajouta-t-il.

La jeune fille esquissa un sourire.

— En fait, j'ai décidé de rester. Quelqu'un m'a aidée à réviser mon jugement sur ce lycée.

— Cool !

Finn ne sembla pas saisir son allusion. Tant mieux ! Il sortait avec Quinn. Rachel n'allait quand même pas se jeter à son cou. Enfin, pas tout de suite. En attendant, elle pouvait bien lui faire comprendre qu'elle l'appréciait, non ?

— Dans ce cas, on n'aura pas à te regretter ! conclut-il.

De toute façon, leur danse improvisée l'avait convaincue d'une chose : il lui serait beaucoup plus facile de briller parmi des élèves médiocres. Et elle avait bien l'intention de devenir une star au milieu de cette foule d'obscurs individus. Elle était née pour ça.

— C'est vraiment gentil, Finn.

Elle jeta un coup d'œil vers la cafétéria, où ses camarades l'attendaient.

— J'imagine qu'on se reverra, Shark Finn, osa-t-elle avant de tourner les talons pour s'éloigner nonchalamment.

Finn resta quelques instants à contempler son joli derrière qui se trémoussait. Comment avait-elle deviné que c'était lui ?

— Hé, attends ! cria-t-il en s'élançant à sa suite.

Il la rattrapa en un rien de temps. Par mesure de précaution, il baissa la voix.

— Si tu savais ce que les Cheerios s'apprêtaient à faire, pourquoi est-ce que tu as maintenu le show ?

— Je ne voudrais pas te vexer – après tout, tu sors avec l'une d'entre elles –, mais les pom-pom girls ne gouvernent pas la planète, et je n'allais pas les laisser me dicter leurs stupides lois.

Il était si près d'elle… Sa bouche l'attirait comme un aimant. L'autre nuit, elle avait rêvé qu'ils se retrouvaient ensemble dans une bibliothèque – une chouette, avec des beaux livres en cuir et des fauteuils confortables, pas comme celle du lycée. Il levait les yeux du bouquin qu'il lisait, se penchait vers elle, et pressait ses lèvres contre les siennes… Elle s'était réveillée en sursaut, frissonnant de tout son corps tant le baiser lui avait paru réel. C'était sans doute prémonitoire. Un jour, elle embrasserait Finn Hudson pour de vrai !

— Tu as sans doute raison, c'est une bonne philosophie, répliqua Finn en lui faisant un petit salut.

Il s'éloigna avec un curieux mal de ventre. Il ne se rappelait pourtant pas avoir mangé un sale truc…

Rachel rayonnait de bonheur.

En se dirigeant vers ses amis, elle découvrit qu'un footballeur avait piqué le manuel de maths de Kurt pour le jeter à la poubelle. Bon, d'accord, les choses n'allaient pas changer d'un coup de baguette magique, mais au moins, la chorale était sur la bonne voie, maintenant. Ils avaient accompli l'exploit de faire danser tout le monde, et Finn Hudson lui parlait, à présent. Elle avait même des chances de devenir sa petite amie.

« Bonjour tout le monde ! » cria Rachel un peu plus tard dans le micro de Mme Applethorne.

Lorsque M. Figgins l'avait autorisée à se charger des annonces deux semaines durant, il n'imaginait sans doute pas à quel point elle révolutionnerait ce moment. Il aurait probablement le cœur brisé en se rendant compte que c'était la dernière fois. Bon, peut-être pas, mais il devrait bien se rendre à l'évidence : sa voix chaleureuse était un rayon de soleil dans la journée glauque de ses auditeurs.

« Comme vous le savez tous, notre équipe de foot s'est battue avec acharnement contre Central Valley, vendredi dernier. Même s'ils n'ont pas remporté la victoire, nous pouvons nous montrer fiers d'eux, moi comprise. »

Elle s'accorda une petite pause. Finn avait certainement compris qu'elle parlait de lui, enfin elle l'espérait. Elle se fichait complètement des autres joueurs.

Elle inspira profondément avant de continuer, pour être sûre de ne pas buter sur les mots qui suivraient.

« Je voudrais aussi féliciter les nouvelles têtes couronnées, Finn Hudson et Quinn Fabray. »

De toute façon, elle n'était pas jalouse. Être admirée pour son physique ne l'avait jamais intéressée. Certes, ça ne devait pas être désagréable, du moins au début, mais briller par ses prouesses artistiques la motivait bien davantage.

Et puis, si le petit ami de Quinn recherchait à dialoguer avec Rachel, c'est que, après tout, ça ne devait pas être si drôle de partager les journées de la pom-pom girl !

« Mais plus que tout, reprit Rachel d'une voix joyeuse, je tenais à vous remercier chaleureusement d'avoir si bien accueilli notre petit spectacle ! Vos marques de sympathie nous ont beaucoup touchés. Je suis sûre que vous serez contents d'apprendre que notre groupe a enfin reçu les fonds nécessaires à sa survie. Nous aurons donc le plaisir de faire davantage parler de nous ! »

Sue Sylvester risquait d'entrer en trombe dans la pièce d'un moment à l'autre pour tenter de l'étouffer avec une paire de pompons. Mais elle n'en avait cure. Elle avait bien gagné le droit de se jeter des fleurs, ainsi qu'à ses camarades !

« Je vous quitterai avec une chanson de Tom Petty. »

Ce n'était pas son artiste préféré, mais « I Won't Back Down » reflétait parfaitement son état d'esprit. Elle se mit à chanter à pleins poumons.

Quand elle s'arrêta, elle afficha un grand sourire en pensant que ses paroles devaient être en train d'infuser lentement dans l'esprit des élèves.

Finalement, cette année avait très bien commencé !

Tandis que Rachel sortait du bureau de Mme Applethorne, M. Schuester, à l'autre bout du lycée, s'engouffrait dans celui du proviseur.

— M. Figgins, je dois vous parler du groupe Glee.

« Pour l'éditeur, le principe est d'utiliser des papiers composés de fibres naturelles, renouvelables, recyclables et fabriquées à partir de bois issus de forêts qui adoptent un système d'aménagement durable. En outre, l'éditeur attend de ses fournisseurs de papier qu'ils s'inscrivent dans une démarche de certification environnementale reconnue. »

Composition réalisée par Datagrafix, Inc.

Achevé d'imprimer en Espagne par Rodesa
20.20.2158.2/01 – ISBN : 978-2-01-202158-7
Loi n° 49-956 du 16 juillet 1949 sur les publications destinées à la jeunesse
Dépôt légal : janvier 2011